# LA TRESSE

Laetitia Colombani est scénariste, réalisatrice et comédienne. Elle a écrit et réalisé deux longs-métrages, *À la folie... pas du tout* et *Mes stars et moi*. Elle écrit aussi pour le théâtre. *La Tresse* est son premier roman.

LAETITIA COLOMBANI

# *La Tresse*

ROMAN



BERNARD GRASSET

ISBN : 978-2-253-90656-8 – 1re publication LGF

*À Olivia*

*Aux femmes courageuses*

**Tresse** n. f. Assemblage de trois mèches, de trois brins entrelacés.

« … Simone, il y a un grand mystère dans la forêt de tes cheveux. »

Remy DE GOURMONT

« Une femme libre est exactement le contraire d'une femme légère. »

Simone DE BEAUVOIR

## PROLOGUE

*C'est le début d'une histoire.*
*Une histoire nouvelle à chaque fois.*
*Elle s'anime là, sous mes doigts.*

*D'abord, il y a la monture.*
*La structure doit être assez solide pour supporter l'ensemble.*
*La soie ou le coton, pour la ville ou la scène. Tout dépend.*
*Le coton est plus résistant,*
*La soie plus fine et plus discrète.*
*Il faut un marteau et des clous.*
*Il faut aller doucement, surtout.*

*Puis vient le tissage.*
*C'est la partie que je préfère.*
*Sur le métier devant moi*
*Trois fils en nylon sont tendus.*
*Saisir les brins, dans la botte, trois par trois,*
*Les nouer sans les casser.*
*Et puis recommencer*
*Des milliers de fois.*

*J'aime ces heures solitaires, ces heures où mes mains dansent.*
*C'est un étrange ballet que celui de mes doigts.*
*Ils écrivent une histoire de tresse et d'entrelacs.*
*Cette histoire est la mienne.*

*Pourtant elle ne m'appartient pas.*

# Smita

*Village de Badlapur, Uttar Pradesh, Inde.*

Smita s'éveille avec un sentiment étrange, une urgence douce, un papillon inédit dans le ventre. Aujourd'hui est une journée dont elle se souviendra toute sa vie. Aujourd'hui, sa fille va entrer à l'école.

À l'école, Smita n'y a jamais mis les pieds. Ici à Badlapur, les gens comme elle n'y vont pas. Smita est une Dalit. Intouchable. De ceux que Gandhi appelait les enfants de Dieu. Hors caste, hors système, hors tout. Une espèce à part, jugée trop impure pour se mêler aux autres, un rebut indigne qu'on prend soin d'écarter, comme on sépare le bon grain de l'ivraie. Comme Smita, ils sont des millions à vivre en dehors des villages, de la société, à la périphérie de l'humanité.

Tous les matins, c'est le même rituel. À la manière d'un disque rayé rejouant à l'infini une symphonie infernale, Smita s'éveille dans la cahute qui lui sert de maison, près des champs cultivés par les Jatts. Elle lave son visage et ses pieds à l'eau rapportée la veille du puits, celui qui leur est réservé. Pas question de toucher à l'autre, celui des castes supérieures, pourtant proche et plus accessible. Certains sont morts pour moins que ça. Elle se prépare, coiffe Lalita, embrasse Nagarajan. Puis elle prend son panier de jonc tressé, ce panier que sa mère portait avant elle et qui lui donne des haut-le-cœur rien qu'à le regarder, ce panier à l'odeur tenace, âcre et indélébile, qu'elle porte toute la journée comme on porte une croix, un fardeau honteux. Ce panier, c'est son calvaire. Une malédiction. Une punition. Quelque chose qu'elle a dû faire dans une vie antérieure, il faut payer, expier, après tout cette vie n'a pas plus d'importance que les précédentes, ni les suivantes, c'est juste une vie parmi les autres, disait sa mère. C'est ainsi, c'est la sienne.

C'est son *darma*, son devoir, sa place dans le monde. Un métier qui se transmet de mère en fille, depuis des générations. *Scavenger*, en anglais le terme signifie « extracteur ». Un mot pudique pour désigner une réalité qui ne l'est pas. Ce que fait Smita, il n'y a pas de mot pour le décrire. Elle ramasse la merde des autres à mains nues, toute la journée. Elle avait six ans, l'âge de Lalita aujourd'hui, quand sa mère l'a emmenée pour la première fois. Regarde, après tu feras. Smita se souvient de l'odeur qui l'avait assaillie, aussi violemment qu'un essaim de guêpes, une odeur insoutenable, inhumaine. Elle avait vomi au bord de la route. Tu t'habitueras, avait dit sa mère.

Elle avait menti. On ne s'habitue pas. Smita a appris à retenir son souffle, à vivre en apnée, il faut respirer, a dit le docteur du village, voyez comme vous toussez. Il faut manger. L'appétit, ça fait longtemps que Smita l'a perdu. Elle ne se souvient plus comment c'est, d'avoir faim. Elle mange peu, le strict minimum, une poignée de riz délayé dans de l'eau qu'elle impose chaque jour à son corps défendant.

Des toilettes pour le pays, le gouvernement l'avait pourtant promis. Hélas, elles ne sont pas arrivées jusqu'ici. À Badlapur comme ailleurs, on défèque à ciel ouvert. Partout le sol est souillé, les rivières, les fleuves, les champs, pollués par des tonnes de déjections. Les maladies s'y propagent comme une étincelle sur de la poudre. Les politiciens le savent : ce que réclame le peuple, avant les réformes, avant l'égalité sociale, avant même le travail, ce sont des toilettes. Le droit à déféquer dignement. Dans les villages, les femmes sont obligées d'attendre la tombée de la nuit pour aller dans les champs, s'exposant à de multiples agressions. Les plus chanceux ont aménagé un recoin dans leur cour ou au fond de leur maison, un simple trou dans le sol qu'on appelle pudiquement « toilettes sèches », des latrines que les femmes Dalits viennent vider chaque jour à mains nues. Des femmes comme Smita.

Sa tournée commence vers sept heures. Smita prend son panier et sa balayette en jonc. Elle sait qu'elle doit vider vingt maisons, chaque jour, pas de temps à perdre. Elle marche sur le côté de la route, les yeux baissés, le visage dissimulé sous un foulard. Dans certains villages, les Dalits doivent signaler leur présence en portant une plume de corbeau. Dans d'autres, ils sont condamnés à marcher pieds nus – tous connaissent l'histoire de cet Intouchable, lapidé pour le seul fait d'avoir porté des sandales. Smita entre dans les maisons par la porte arrière qui lui est réservée, elle ne doit pas croiser les habitants, encore moins leur parler. Elle n'est pas seulement intouchable, elle doit être invisible. Elle reçoit en guise de salaire des restes de nourriture, parfois des vieux vêtements, qu'on lui jette à même le sol. Pas toucher, pas regarder.

Parfois, elle ne reçoit rien du tout. Une famille de Jatts ne lui donne plus rien depuis des mois. Smita a voulu arrêter, elle l'a dit un soir à Nagarajan, elle n'y retournera pas, ils n'ont qu'à nettoyer leur merde eux-mêmes. Mais Nagarajan a pris peur : si Smita n'y va plus, ils seront chassés, ils n'ont pas de terre à eux. Les Jatts viendront incendier leur cahute. Elle sait de quoi ils sont capables. « On te coupera les deux jambes », avaient-ils dit à l'un des leurs. On a retrouvé l'homme démembré et brûlé à l'acide dans le champ d'à côté.

Oui, Smita sait de quoi les Jatts sont capables.

Alors elle y retourne le lendemain.

Mais ce matin n'est pas un jour comme les autres. Smita a pris une décision, qui s'est imposée à elle comme une évidence : sa fille ira à l'école. Elle a eu du mal à convaincre Nagarajan. À quoi bon ? disait-il. Elle saura peut-être lire et écrire, mais personne ici ne lui donnera du travail. On naît videur de toilettes, et on le reste jusqu'à sa mort. C'est un héritage, un cercle dont personne ne peut sortir. Un *karma*.

Smita n'a pas cédé. Elle en a reparlé le lendemain, le jour d'après, et les suivants. Elle refuse d'emmener Lalita en tournée avec elle : elle ne lui montrera pas les gestes des videurs de toilettes, elle ne verra pas sa fille vomir dans le fossé comme sa mère avant elle, non, Smita s'y refuse. Lalita doit aller à l'école. Devant sa détermination, Nagarajan a fini par céder. Il connaît sa femme ; sa volonté est puissante. Cette petite Dalit à la peau brune qu'il a épousée il y a dix ans est plus forte que lui, il le sait. Alors il finit par céder. Soit. Il ira à l'école du village, il parlera au Brahmane.

Smita a souri secrètement de sa victoire. Elle aurait tant voulu que sa mère se batte pour elle, tant aimé passer la porte de l'école, s'asseoir parmi les autres enfants. Apprendre à lire et à compter. Mais cela n'avait pas été possible, le père de Smita n'était pas un homme bon comme Nagarajan, il était irascible et violent. Il battait son épouse, comme tous le font ici. Il le répétait souvent : une femme n'est pas l'égale de son mari, elle lui appartient. Elle est sa propriété, son esclave. Elle doit se plier à sa volonté. Assurément, son père aurait préféré sauver sa vache, plutôt que sa femme.

Smita, elle, a de la chance : Nagarajan ne l'a jamais battue, jamais insultée. Lorsque Lalita est née, il a même été d'accord pour la garder. Pas loin d'ici, on tue les filles à la naissance. Dans les villages du Rajasthan, on les enterre vivantes, dans une boîte, sous le sable, juste après leur naissance. Les petites filles mettent une nuit à mourir.

Mais pas ici. Smita contemple Lalita, accroupie sur le sol en terre battue de la cahute, en train de coiffer son unique poupée. Elle est belle, sa fille. Elle a les traits fins, les cheveux longs jusqu'à la taille, que Smita démêle et tresse tous les matins.

Ma fille saura lire et écrire, se dit-elle, et cette pensée la réjouit.

Oui, aujourd'hui est un jour dont elle se souviendra toute sa vie.

# Giulia

*Palerme, Sicile.*

Giulia !

Giulia ouvre les yeux péniblement. La voix de sa mère retentit d'en bas.

Giulia !
Scendi !
Subito !

Giulia est tentée d'enfouir sa tête sous l'oreiller. Elle n'a pas assez dormi – elle a encore passé la nuit à lire. Elle sait pourtant qu'elle doit se lever. Lorsque la mère appelle, il faut obéir – c'est une mère sicilienne.

Giulia !

La jeune femme quitte son lit à regret. Elle se lève et s'habille à la hâte, avant de descendre à la cuisine où s'impatiente la *mamma.* Sa sœur Adela est déjà levée, occupée à vernir ses ongles de pied sur la table du petit déjeuner. L'odeur du solvant fait grimacer Giulia. Sa mère lui sert une tasse de café.

Ton père est parti.
C'est toi qui ouvres ce matin.

Giulia saisit les clés de l'atelier et quitte rapidement la maison.

Tu n'as rien mangé.
Emporte quelque chose !

Ignorant les mots de sa mère, elle enfourche son vélo et s'éloigne à grandes pédalées. L'air frais du matin l'éveille un peu. Le vent dans les avenues lui fouette le visage et les yeux. Aux abords du marché, les odeurs d'agrumes et d'olives viennent lui piquer le nez. Giulia longe l'étal du poissonnier exhibant sardines et anguilles fraîchement pêchées. Elle accélère, monte sur les trottoirs, quitte la piazza Ballaro où les vendeurs ambulants apostrophent déjà les clients.

Elle parvient dans une impasse, à l'écart de la via Roma. C'est là qu'est installé l'atelier de son père, dans un ancien cinéma dont il a racheté les murs il y a vingt ans – l'âge de Giulia. Ses locaux d'alors étaient exigus, un déménagement s'imposait. Sur la façade, on peut encore distinguer l'endroit où étaient placardées les affiches des films. Il est loin, le temps où les *Palermitani* se pressaient pour voir les comédies d'Alberto Sordi, Vittorio Gassman, Nino Manfredi, Ugo Tognazzi, Marcello Mastroianni... Aujourd'hui la plupart des salles ont fermé, comme ce petit cinéma de quartier transformé en atelier. Il a fallu aménager la cabine de projection en bureau, percer des fenêtres dans la grande salle afin que les ouvrières aient assez de lumière pour travailler. Le *papa* a effectué lui-même tous les travaux. L'endroit lui ressemble, songe Giulia : il est brouillon et chaleureux, comme lui. Malgré ses accès de colère légendaires, Pietro Lanfredi est apprécié et respecté de ses employées. C'est un père aimant, bien qu'exigeant et autoritaire, qui a élevé ses filles dans le respect de la discipline et leur a transmis le goût du travail bien fait.

Giulia saisit la clé et ouvre la porte. D'ordinaire, son père est le premier arrivé. Il tient à accueillir lui-même ses ouvrières – c'est ça, être le *padrone,* se plaît-il à répéter. Il a toujours un mot pour l'une, une attention pour l'autre, un geste pour chacune. Mais aujourd'hui, il est parti en tournée chez les coiffeurs de Palerme et des environs. Il ne sera pas là avant midi. Ce matin, Giulia est la maîtresse de maison.

À cette heure, tout est calme dans l'atelier. Bientôt, l'endroit bruissera de mille conversations, de chansons, d'éclats de voix, mais pour l'instant, il n'y a que le silence, et l'écho des pas de Giulia. Elle marche jusqu'au vestiaire réservé aux ouvrières et dépose ses affaires dans le casier à son prénom. Elle attrape sa blouse, se glisse comme chaque jour dans cette seconde peau. Elle rassemble ses cheveux, les roule en un chignon serré et y pique des épingles avec agilité. Puis elle recouvre sa tête d'un fichu, une précaution indispensable ici – il ne faut pas mêler ses cheveux à ceux traités à l'atelier. Ainsi vêtue et coiffée, elle n'est plus la fille du patron : elle est une ouvrière comme une autre, une employée de la maison Lanfredi. Elle y tient. Elle a toujours refusé d'être privilégiée.

La porte de l'entrée s'ouvre dans un grincement, et une joyeuse nuée emplit l'espace. En un instant, l'atelier s'anime, devient cet endroit bruyant que Giulia aime tant. Dans un brouhaha indistinct où les conversations s'entremêlent, les ouvrières se hâtent jusqu'au vestiaire où elles enfilent blouses et tabliers, avant de rejoindre leur place en bavardant. Giulia se joint à elles. Agnese a les traits tirés – son dernier fait ses dents, elle n'a pas dormi de la nuit. Federica retient ses larmes, son fiancé l'a quittée. Encore ?! s'exclame Alda. Il reviendra demain, la rassure Paola. Ici les femmes partagent plus qu'un métier. Tandis que leurs mains s'activent sur les cheveux à traiter, elles parlent des hommes, de la vie, de l'amour, à longueur de journée. Ici toutes savent que le mari de Gina boit, que le fils d'Alda fraye avec la *Piovra*, qu'Alessia a eu une brève liaison avec l'ex-mari de Rhina, qui ne le lui a jamais pardonné.

Giulia aime la compagnie de ces femmes dont certaines la connaissent depuis qu'elle est enfant. Elle est presque née ici. Sa mère se plaît à raconter comment les contractions l'ont surprise alors qu'elle était occupée à trier des mèches dans la salle principale – elle n'y travaille plus aujourd'hui en raison de sa mauvaise vue, a dû céder sa place à une employée aux yeux plus affûtés. Giulia a grandi là, entre les cheveux à démêler, les mèches à laver, les commandes à expédier. Elle se souvient des vacances et des mercredis passés parmi les ouvrières, à les regarder travailler. Elle aimait observer leurs mains en train de s'activer telle une armée de fourmis. Elle les voyait jeter les cheveux sur les cardes, ces grands peignes carrés, pour les démêler, puis les laver dans la baignoire fixée sur des tréteaux – un ingénieux bricolage de son père, qui n'aimait pas voir ses employées s'abîmer le dos. Giulia s'amusait de la façon dont on suspendait les mèches aux fenêtres pour les faire sécher – on aurait dit le butin d'une tribu d'Indiens, une série de scalps étrangement exhibée.

Elle a parfois l'impression qu'ici le temps s'est arrêté. Il continue sa course dehors, mais à l'intérieur de ces murs, elle se sent protégée. C'est un sentiment doux, rassurant, la certitude d'une étrange permanence des choses.

Voilà près d'un siècle que sa famille vit de la *cascatura*, cette coutume sicilienne ancestrale qui consiste à garder les cheveux qui tombent ou que l'on coupe, pour en faire des postiches ou perruques. Fondé en 1926 par l'arrière-grand-père de Giulia, l'atelier Lanfredi est le dernier de ce type à Palerme. Il compte une dizaine d'ouvrières spécialisées qui démêlent, lavent et traitent des mèches envoyées ensuite en Italie et dans toute l'Europe. Le jour de ses seize ans, Giulia a choisi de quitter le lycée pour rejoindre son père à l'atelier. Élève douée selon ses professeurs, surtout celui d'italien, qui l'incitait à continuer, elle aurait pu faire des études, entrer à l'université. Mais il était pour elle impensable de changer de voie. Plus qu'une tradition, les cheveux sont une passion chez les Lanfredi, qui se transmet de génération en génération. Étrangement, les sœurs de Giulia n'ont pas manifesté d'intérêt pour le métier, et elle est la seule des filles Lanfredi à s'y consacrer. Francesca s'est mariée jeune et ne travaille pas ; elle a quatre enfants aujourd'hui. Adela, la cadette, est encore au lycée et se destine aux métiers de la mode ou au mannequinat – tout, plutôt que la voie de ses parents.

Pour les commandes spécialisées, les couleurs difficiles à trouver, le *papa* a un secret : une formule héritée de son père et de son grand-père avant lui, à base de produits naturels dont il ne dit jamais le nom. Cette formule, il l'a transmise à Giulia. Il l'emmène souvent sur le toit, dans son *laboratorio* comme il l'appelle. De là-haut, on peut voir la mer, et de l'autre côté le Monte Pellegrino. Vêtu d'une blouse blanche qui le fait ressembler à un professeur de chimie, Pietro fait bouillir de grands seaux pour pratiquer les retouches : il sait comment décolorer les cheveux et les reteindre ensuite, sans que la couleur passe au lavage. Giulia le regarde faire, des heures durant, attentive au moindre de ses mouvements. Son père surveille ses cheveux comme la *mamma* ses *pasta*. Il les remue à l'aide d'une cuillère en bois, les laisse reposer avant d'y revenir, inlassablement. Il y a de la patience, de la rigueur, de l'amour aussi, dans ce soin qu'il prend d'eux. Il se plaît à dire qu'un jour ces cheveux seront portés, et méritent le plus grand des respects. Giulia se prend parfois à rêver aux femmes à qui les perruques sont destinées – les hommes ici ne sont pas enclins à porter des postiches, ils sont trop fiers, trop attachés à une certaine idée de leur virilité.

Pour une raison inconnue, certains cheveux résistent à la formule secrète des Lanfredi. Des seaux dans lesquels ils sont plongés, la plupart ressortent d'un blanc laiteux, ce qui permet de les reteindre ensuite, mais un petit nombre d'individus conserve sa couleur d'origine. Ces quelques rebelles constituent un réel problème : il est en effet inconcevable qu'un client trouve, au milieu d'une mèche soigneusement colorée, des récalcitrants noirs ou bruns. En raison de son acuité visuelle, Giulia est chargée de cette tâche délicate : elle doit trier les cheveux, un par un, afin d'en soustraire les irréductibles. C'est une véritable chasse aux sorcières qu'elle mène chaque jour, une traque minutieuse, sans répit.

La voix de Paola la tire de sa rêverie.

Mia cara, tu as l'air fatiguée.
Tu as encore lu toute la nuit.

Giulia ne dément pas. À Paola, on ne peut rien cacher. La vieille femme est la doyenne des ouvrières de l'atelier. Ici, toutes l'appellent la *Nonna*. Elle a connu le père de Giulia enfant ; elle aime à raconter qu'elle laçait ses souliers. Du haut de ses soixante-quinze ans, elle voit tout. Ses mains sont usées, sa peau ridée comme un parchemin, mais son regard toujours perçant. Veuve à vingt-cinq ans, elle a élevé seule ses quatre enfants, refusant toute sa vie de se remarier. Lorsqu'on lui demande pourquoi, elle répond qu'elle tient trop à sa liberté : *Une femme mariée doit des comptes,* dit-elle. *Fais ce que tu veux, mia cara, mais surtout ne te marie pas*, répète-t-elle à Giulia. Elle raconte volontiers ses fiançailles, avec cet homme que son père lui avait destiné. La famille de son futur mari tenait une exploitation de citrons. La *Nonna* avait dû travailler pour les ramasser, le jour même de ses noces. Dans les campagnes, il n'y avait pas le temps de s'arrêter. Elle se souvient de l'odeur de citron qui flottait perpétuellement sur les vêtements et les mains de son mari. Lorsqu'il est mort d'une pneumonie quelques années plus tard, la laissant seule avec leurs quatre enfants, elle a dû partir à la ville pour chercher un emploi. Elle a rencontré le grand-père de Giulia, qui l'a engagée à l'atelier. Voilà cinq décennies qu'elle y est employée.

C'est pas dans les livres que tu trouveras un mari ! s'exclame Alda.

Laisse-la tranquille avec ça, gronde la *Nonna*.

De mari, Giulia n'en cherche pas. Elle ne fréquente ni les cafés ni les boîtes de nuit pourtant prisées des gens de son âge. *Ma fille est un peu sauvage,* a l'habitude de dire la *mamma*. À la clameur des discothèques, Giulia préfère le silence feutré de la *biblioteca comunale*. Elle s'y rend chaque jour à l'heure du déjeuner. Insatiable lectrice, elle aime l'ambiance des grandes salles tapissées de livres, que seul le bruissement des pages vient troubler. Il lui semble qu'il y a là quelque chose de religieux, un recueillement quasi mystique qui lui plaît. Lorsqu'elle lit, Giulia ne voit pas le temps passer. Enfant, elle dévorait les romans d'Emilio Salgari, assise aux pieds des ouvrières. Plus tard, elle a découvert la poésie. Elle aime Caproni plus qu'Ungaretti, la prose de Moravia et surtout les mots de Pavese, son auteur de chevet. Elle se dit qu'elle pourrait passer sa vie en cette seule compagnie. Elle en oublie même de manger. Il n'est pas rare de la voir rentrer le ventre vide de sa pause déjeuner. C'est ainsi : Giulia dévore les livres comme d'autres les *cannoli*.

Lorsqu'elle revient à l'atelier cet après-midi-là, un silence inhabituel règne dans la salle principale. À son entrée, tous les regards se tournent vers Giulia.

Mia cara, lui dit la *Nonna* d'une voix qu'elle ne reconnaît pas, ta mère vient d'appeler.

Il est arrivé quelque chose au *papa*.

## Sarah

*Montréal, Canada.*

L'alarme sonne et le compte à rebours commence. Sarah est en lutte contre le temps, de l'instant où elle se lève à celui où elle se couche. À la seconde où elle ouvre les yeux, son cerveau s'allume comme le processeur d'un ordinateur.

Chaque matin, elle se réveille à cinq heures. Pas le temps de dormir plus, chaque seconde est comptée. Sa journée est chronométrée, millimétrée, comme ces feuilles de papier qu'elle achète à la rentrée pour les cours de maths des enfants. Il est loin le temps de l'insouciance, celui d'avant le cabinet, la maternité, les responsabilités. Il suffisait alors d'un coup de fil pour changer le cours d'une journée : et si ce soir on faisait… ? et si on partait… ? et si on allait… ? Aujourd'hui tout est planifié, organisé, anticipé. Plus d'improvisation, le rôle est appris, joué, répété chaque jour, chaque semaine, chaque mois, toute l'année. Mère de famille, cadre supérieur, working-girl, it-girl, wonder-woman, autant d'étiquettes que les magazines féminins collent sur le dos des femmes qui lui ressemblent, comme autant de sacs pesant sur leurs épaules.

Sarah se lève, se douche, s'habille. Ses gestes sont précis, efficaces, orchestrés comme une symphonie militaire. Elle descend à la cuisine, dresse la table du petit déjeuner, toujours dans le même ordre : lait/bols/jus d'orange/chocolat/pancakes pour Hannah et Simon/céréales pour Ethan/double café pour elle. Elle va ensuite réveiller les enfants, Hannah d'abord, puis les jumeaux. Leurs vêtements ont été préparés la veille par Ron, ils n'ont qu'à se débarbouiller et les enfiler pendant qu'Hannah remplit les lunchboxes, c'est une affaire qui roule, aussi vite que la berline de Sarah dans les rues de la ville, pour les déposer à l'école, Simon et Ethan en primaire, Hannah au collège.

Après les bises, les *tu n'as rien oublié*, les *couvre-toi mieux*, les *bon courage pour ton examen de maths,* les *arrêtez de chahuter derrière,* les *non, tu vas à la gym,* et enfin le traditionnel *le week-end prochain vous êtes chez vos pères,* Sarah prend la direction du cabinet.

À huit heures vingt précisément, elle gare sa voiture dans le parking, devant le panneau portant son nom : « *Sarah Cohen, Johnson & Lockwood* ». Cette plaque, qu'elle contemple tous les matins avec fierté, désigne plus que l'emplacement de sa voiture ; elle est un titre, un grade, sa place dans le monde. Un accomplissement, le travail d'une vie. Sa réussite, son territoire.

Dans le hall, le portier la salue, puis la standardiste, toujours selon le même rituel. Ici tous l'apprécient. Sarah pénètre dans l'ascenseur, appuie sur le bouton du 8e étage, traverse les couloirs d'un pas rapide en direction de son bureau. Il n'y a pas grand monde, elle est souvent la première arrivée, et la dernière partie. C'est à ce prix qu'on construit une carrière, à ce prix qu'on devient Sarah Cohen, associée en *equity* du prestigieux cabinet *Johnson & Lockwood*, l'un des plus cotés de la ville. S'il y a une majorité de femmes parmi les collaboratrices, Sarah est la première à avoir été promue associée, dans ce cabinet réputé machiste. La plupart de ses amies de l'école du barreau se sont heurtées au plafond de verre. Certaines d'entre elles ont même abandonné, changé de carrière, malgré les études longues et exigeantes qu'elles ont menées. Mais pas elle. Pas Sarah Cohen. Le plafond, elle l'a pulvérisé, fait exploser à grands coups d'heures supplémentaires, de week-ends passés au bureau, de nuits à préparer ses plaidoiries. Elle se souvient de la première fois où elle est entrée dans le grand hall en marbre, il y a dix ans. Venue passer son entretien d'embauche, elle s'était retrouvée devant huit hommes, dont Johnson en personne, l'associé fondateur, le *Managing Partner*, Dieu lui-même, sorti de son bureau pour l'occasion, et descendu en salle de réunion. Il n'avait pas prononcé un mot, l'avait fixée d'un œil sévère, détaillant chaque ligne de son CV sans faire le moindre commentaire. Sarah s'était sentie déstabilisée mais n'en avait rien montré, elle était experte dans l'art de porter un masque, une discipline qu'elle pratiquait depuis longtemps. En sortant, elle s'était sentie vaguement découragée, Johnson n'avait manifesté aucun intérêt à son égard, ne lui avait posé aucune question. Tel un joueur aguerri lors d'une partie de poker, il avait affiché durant l'entretien un visage impassible, se fendant d'un « au revoir » sévère qui laissait entrevoir peu d'espoir pour l'avenir. Sarah savait qu'ils étaient nombreux, les candidats au poste de collaborateur. Elle venait d'un autre cabinet, plus petit et moins prestigieux, rien n'était gagné. D'autres auraient plus d'expérience, plus d'agressivité, plus de chance peut-être, aussi.

Par la suite, elle avait appris que Johnson l'avait choisie en personne, l'avait désignée parmi tous les candidats, contre l'avis de Gary Curst – il allait falloir s'y habituer, Gary Curst ne l'aimait pas, ou alors il l'aimait trop, il était peut-être jaloux, ou bien la désirait, qu'importe, il se montrerait hostile en toutes circonstances, gratuitement, irrémédiablement. Sarah les connaissait, ces hommes ambitieux qui détestaient les femmes, se sentaient menacés par elles, elle les côtoyait mais n'en faisait que peu de cas. Elle traçait son chemin, les laissant sur le bas-côté. Chez *Johnson & Lockwood*, elle avait gravi les échelons à la vitesse d'un cheval lancé au galop, se forgeant une solide réputation en cour de justice. Le tribunal était son arène, son territoire, son colisée. Lorsqu'elle y pénétrait, elle devenait une guerrière, une combattante, intraitable, impitoyable. Pour plaider, elle prenait une voix légèrement différente de la sienne, plus grave, plus solennelle. Elle s'exprimait par phrases courtes, incisives, tranchantes comme des uppercuts. Elle laissait ses adversaires K-O, s'engouffrant dans la moindre faille, la moindre faiblesse de leur argumentaire. Elle connaissait par cœur ses dossiers. Elle ne se laissait pas démonter, et ne perdait jamais la face. Depuis qu'elle avait commencé à exercer, dans ce petit cabinet de la rue Winston qui l'avait embauchée après son diplôme du barreau, elle avait gagné la très grande majorité de ses affaires. Elle était admirée et redoutée. Elle était, à presque quarante ans, un modèle de réussite pour les avocats de sa génération.

Au cabinet, le bruit courait qu'elle était la prochaine *Managing Partner*. Johnson était âgé, il faudrait lui succéder. La place était convoitée par tous les associés. Ils s'y voyaient déjà, califes à la place du calife. Ce poste était une consécration, un Everest dans le monde de l'avocature. Sarah avait tout pour être désignée : un parcours exemplaire, une volonté sans faille, une capacité de travail défiant toute concurrence – une forme de boulimie qui toujours la poussait à rester en mouvement. Elle était une sportive, une alpiniste, qui après chaque pic s'attaquait au suivant. Elle voyait sa vie ainsi, comme une longue ascension, se demandant parfois ce qui se passerait lorsqu'elle serait au sommet. Ce jour-là, elle l'attendait sans vraiment l'espérer.

Bien sûr, sa carrière avait exigé des sacrifices. Elle lui avait coûté son lot de nuits blanches, et ses deux mariages. Si Sarah répétait souvent que les hommes aiment les femmes qui ne leur font pas d'ombre, elle admettait aussi que deux avocats ensemble, c'était un de trop. Elle avait lu un jour dans un magazine – elle qui n'en lisait presque jamais – une statistique cruelle sur la durée de vie des couples d'avocats. Elle l'avait montrée à son mari d'alors, et ils en avaient ri – avant de se séparer, l'année d'après.

Accaparée par son travail au cabinet, Sarah avait dû renoncer à partager de nombreux moments avec ses enfants. Faire l'impasse sur les sorties scolaires, les kermesses de fin d'année, les spectacles de danse, les goûters d'anniversaire, les vacances, lui pesait plus qu'elle ne voulait l'admettre. Elle savait que tous ces instants ne se rattraperaient pas, et cette pensée l'affectait. Elle la connaissait bien, cette culpabilité des mères qui travaillent, elle l'avait assaillie dès la naissance d'Hannah, dès ce jour terrible où elle avait dû la laisser, alors âgée de cinq jours, dans les bras d'une nounou pour gérer une urgence au cabinet qui l'employait. Elle avait vite compris qu'il n'y aurait pas de place, dans le milieu où elle évoluait, pour les atermoiements d'une mère éplorée. Elle avait caché ses larmes sous une épaisse couche de fond de teint, avant d'aller travailler. Elle se sentait déchirée, écartelée, mais ne pouvait se confier à personne. Elle enviait alors la légèreté de son mari, cette fascinante légèreté des hommes, chez qui ce sentiment semblait curieusement absent. Ils passaient la porte de chez eux avec une insolente facilité. En partant le matin, ils n'emportaient que leurs dossiers, alors qu'elle traînait partout le fardeau de sa culpabilité, comme une tortue sa lourde carapace. Au début elle avait tenté de lutter contre ce sentiment, de le rejeter, de le nier, mais elle n'y était pas parvenue. Elle avait fini par lui faire une place dans sa vie. La culpabilité était sa vieille compagne, qui s'imposait partout sans y être invitée. Elle était cette pancarte de publicité dans un champ, cette verrue au milieu d'un visage, disgracieuse, inutile, mais c'était ainsi : elle était là. Il fallait faire avec.

Auprès de ses collaborateurs et associés, Sarah ne laissait rien paraître. Elle avait pour règle de ne jamais parler de ses enfants. Elle ne les mentionnait pas, n'avait pas de photo d'eux dans son bureau. Lorsqu'elle devait quitter le cabinet pour une visite chez le pédiatre ou une convocation à l'école à laquelle elle ne pouvait déroger, elle préférait dire qu'elle avait un *rendez-vous extérieur*. Elle savait qu'il était mieux vu de partir tôt pour *prendre un verre* que d'évoquer des problèmes de nounou. Il valait mieux mentir, inventer, broder, tout, plutôt qu'avouer qu'on avait des enfants, en d'autres termes : des chaînes, des liens, des contraintes. Ils étaient autant de freins à votre disponibilité, à l'évolution de votre carrière. Sarah se souvient de cette femme, dans l'ancien cabinet où elle exerçait, qui venait d'être promue associée et qui, à l'annonce de sa grossesse, s'était vue destituée, renvoyée au statut de collaboratrice. C'était une violence sourde, invisible, une violence ordinaire que personne ne dénonçait. Sarah en avait tiré une leçon pour elle-même. Lors de ses deux grossesses, elle n'avait rien dit à sa hiérarchie. Étonnamment, son ventre était resté plat longtemps : jusqu'à sept mois environ, sa gravidité était quasi indécelable, même pour ses jumeaux, comme si au creux d'elle-même ses enfants avaient senti qu'il valait mieux rester discrets. C'était leur petit secret, une sorte de pacte tacite entre eux. Sarah avait pris le congé maternité le plus bref possible, elle était revenue au bureau deux semaines après sa césarienne, la ligne impeccable, le teint fatigué mais soigneusement maquillé, le sourire parfait. Le matin, avant de garer sa voiture en bas du cabinet, elle faisait une halte sur le parking du supermarché voisin, afin de retirer les deux sièges bébés de la banquette arrière et de les placer dans le coffre, pour les rendre invisibles. Bien sûr, ses collègues savaient qu'elle avait des enfants, mais elle prenait soin de ne jamais le leur rappeler. Une secrétaire avait le droit de parler petits pots et poussées dentaires, pas une associée.

Sarah avait ainsi construit un mur parfaitement hermétique entre sa vie professionnelle et sa vie familiale, chacune suivant son cours, telles deux droites parallèles qui ne se rencontrent pas. C'était un mur fragile, précaire, qui se fissurait parfois, et s'effondrerait peut-être, un jour. Qu'importe. Elle se plaisait à penser que ses enfants seraient fiers de ce qu'elle avait construit, et de ce qu'elle était. Elle s'efforçait de compenser la quantité des moments passés avec eux par leur qualité. Dans l'intimité, Sarah était une mère tendre et attentionnée. Pour tout le reste, il y avait Ron, « *Magic Ron* », comme les enfants l'avaient eux-mêmes surnommé. Il riait de cette appellation, qui était devenue presque un titre.

Sarah avait recruté Ron quelques mois après la naissance des jumeaux. Elle avait eu maille à partir avec Linda, sa précédente nounou qui, outre ses retards incessants et son peu d'empressement au travail, avait commis une faute grave ayant entraîné sa mise à pied immédiate : rentrée à l'improviste pour prendre un dossier qu'elle avait oublié, Sarah avait trouvé Ethan, alors âgé de neuf mois, seul dans son lit, dans la maison déserte. Linda était revenue du marché une heure plus tard, comme si de rien n'était, accompagnée de Simon. Prise en faute, elle s'était justifiée en expliquant qu'elle promenait chaque jumeau un jour sur deux, en alternance, jugeant trop difficile de les sortir ensemble. Sarah l'avait renvoyée le jour même. Prétextant au cabinet une sciatique invalidante, elle avait auditionné les jours suivants de nombreuses assistantes maternelles, parmi lesquelles figurait Ron. Surprise de trouver un homme aspirant à ce poste, elle avait d'abord écarté sa candidature – on lit tant de choses dans les journaux... En outre, ses deux maris s'étant peu illustrés dans l'art de changer une couche ou donner un biberon, elle doutait de la capacité d'un homme à exceller dans ces tâches. Elle s'était alors rappelé son entretien d'embauche chez *Johnson & Lockwood,* et ce qu'elle avait dû accomplir, en tant que femme, pour s'imposer dans ce milieu. Elle avait finalement révisé son jugement. Ron avait droit à sa chance, comme les autres. Il avait un CV irréprochable, des références solides. Il était lui-même père de deux enfants. Il habitait dans un quartier voisin. Il était évident qu'il avait toutes les qualités requises pour le poste. Sarah l'avait mis à l'essai durant deux semaines, pendant lesquelles Ron s'était révélé parfait : il passait des heures à jouer avec les enfants, cuisinait divinement, faisait les courses, le ménage, la lessive, la déchargeant de tout ce que le quotidien peut avoir d'astreignant.

Les enfants l'avaient adopté, les jumeaux comme Hannah, alors âgée de cinq ans. Sarah venait de se séparer de son second mari, le père des garçons, et elle avait pensé qu'une figure masculine serait appréciable dans une famille monoparentale comme la sienne. Inconsciemment, elle s'assurait peut-être aussi, en engageant un homme, que personne ne prendrait sa place de maman. Ron était donc devenu *Magic Ron*, indispensable à sa vie et à celle de ses enfants.

Lorsqu'elle se regardait dans le miroir, Sarah voyait une femme de quarante ans à qui tout avait réussi : elle avait trois beaux enfants, une maison bien tenue dans un quartier huppé, une carrière que beaucoup lui enviaient. Elle était à l'image de ces femmes que l'on voit dans les magazines, souriante et accomplie. Sa blessure ne se voyait pas, elle était invisible, quasi indécelable sous son maquillage parfait et ses tailleurs de grands couturiers.

Pourtant elle était là.

Comme des milliers de femmes à travers le pays, Sarah Cohen était coupée en deux. Elle était une bombe prête à exploser.

## Smita

*Village de Badlapur, Uttar Pradesh, Inde.*

Viens là.
Lave-toi.
Ne traîne pas.

C'est aujourd'hui. Il ne faut pas être en retard.

Dans la cour derrière la cahute, Smita aide Lalita à se laver. La petite fille se laisse faire, docile, elle ne proteste pas même lorsque l'eau lui coule dans les yeux. Smita démêle ses cheveux, qui lui descendent jusqu'à la taille. Elle ne les a jamais coupés, c'est la tradition ici, les femmes gardent longtemps leurs cheveux de naissance, parfois toute leur vie. Elle divise la chevelure en trois mèches, qu'elle entrelace d'une main experte pour en faire une tresse. Elle lui tend ensuite le sari qu'elle a cousu pour elle, des nuits durant. Une voisine lui a offert le tissu. Elle n'a pas les moyens d'acheter l'uniforme que portent ici les écoliers, mais qu'importe. Sa fille sera belle pour son entrée à l'école, se dit-elle.

Elle s'est levée à l'aube pour lui préparer son repas – il n'y a pas de cantine, chaque enfant doit apporter son déjeuner. Elle a cuisiné du riz auquel elle a ajouté un peu de curry, celui qu'elle réserve pour les grandes occasions. Elle espère que Lalita mangera avec appétit pour son premier jour d'école. Il faut de l'énergie pour apprendre à lire et à écrire. Elle a placé le repas dans une lunchbox improvisée – une boîte en fer soigneusement nettoyée, qu'elle a elle-même décorée. Elle ne veut pas que Lalita ait honte devant les autres. Elle saura lire, tout comme eux. Comme les enfants des Jatts.

Mets-toi de la poudre.
Occupe-toi de l'autel.
Vite.

Dans l'unique pièce de la cahute, qui sert tout à la fois de cuisine, de chambre et de temple, Lalita est chargée de nettoyer le petit autel consacré aux dieux. Elle allume une bougie et la place près des images pieuses. C'est elle qui agite le grelot à la fin des louanges. Ensemble, Smita et sa fille récitent une prière à l'attention de Vishnou, le dieu de la vie et de la création, le protecteur de tous les humains. Lorsque l'ordre du monde est perturbé, il s'incarne pour descendre sur terre et y remédier, prenant tour à tour la forme d'un poisson, d'une tortue, d'un sanglier, d'un homme-lion, ou même d'un homme. Lalita aime s'asseoir près du petit autel le soir, après le repas, et écouter sa mère lui raconter l'histoire des dix avatars de Vishnou. Lors de sa première incarnation humaine, il a défendu la caste des Brahmanes contre les Kshatriyas, et a rempli cinq lacs de leur sang. Lalita frissonne toujours à l'évocation de ce récit. Elle prend garde, dans ses jeux, à ne pas écraser la moindre fourmi, la moindre araignée, on ne sait jamais, Vishnou est peut-être là, tout près, incarné dans l'une de ces misérables créatures... Un dieu au bout de son doigt... L'idée lui plaît, et l'effraie en même temps. Nagarajan aussi aime écouter Smita, le soir près de l'autel. Sa femme est une formidable conteuse, elle qui ne sait pourtant pas lire.

Ce matin, pas de temps pour les histoires. Nagarajan est parti tôt, comme à son habitude, dès le lever du jour. Il est chasseur de rats, comme son père avant lui. Il travaille dans les champs des Jatts. C'est une tradition ancestrale, un savoir-faire transmis en guise d'héritage : l'art d'attraper les rats à mains nues. Les rongeurs mangent les récoltes, et fragilisent le sol en y creusant des galeries. Nagarajan a appris à reconnaître ces trous minuscules dans la terre, si caractéristiques. Il faut être attentif, disait son père. Et patient. N'aie pas peur. Au début, tu seras mordu. Tu vas apprendre. Il se souvient de sa première prise, à l'âge de huit ans, quand il avait introduit sa main dans le trou. Une douleur fulgurante lui avait traversé la chair, le rat avait mordu cet espace tendre entre le pouce et l'index, où la peau est si fine. Nagarajan avait crié, et retiré sa main ensanglantée. Son père avait ri. Tu t'y prends mal. Il faut être plus rapide, tu dois le surprendre. Recommence. Nagarajan avait peur, il avait retenu ses larmes. Recommence ! Il s'y était repris à six fois, six morsures, avant de sortir le rat énorme de sa cachette. Son père avait saisi l'animal par la queue, lui avait fracassé la tête contre une pierre, avant de le tendre à nouveau à son fils. *Voilà*, avait-il dit simplement. Nagarajan avait saisi le rat mort, comme on prend un trophée, et l'avait rapporté à la maison.

Sa mère avait d'abord pansé sa main. Puis elle avait fait griller le rat. Ils l'avaient mangé ensemble au dîner.

Les Dalits comme Nagarajan ne touchent pas de salaire, ils ont juste le droit de garder ce qu'ils prennent. C'est une forme de privilège : les rats appartiennent aux Jatts, comme les champs, et tout ce qui se trouve au-dessus et en dessous.

Grillé, ce n'est pas mauvais. Ça ressemble au poulet, disent certains. C'est le poulet du pauvre, celui des Dalits. La seule viande dont ils disposent. Nagarajan raconte que son père mangeait les rats entiers, avec la peau et les poils, ne laissant que la queue, indigeste. Il plantait la bête sur un bâton, la faisait griller au-dessus du feu, avant de la croquer tout entière. Lalita rit lorsqu'il raconte cette histoire. Smita, elle, préfère enlever la peau. Le soir, ils mangent les rats de la journée avec du riz, dont Smita garde l'eau de cuisson qu'elle sert en guise de sauce. Parfois, il y a aussi les restes donnés par les familles dont elle vide les toilettes, qu'elle rapporte et partage avec les voisins.

Ton bindi.
N'oublie pas.

Lalita fouille dans ses affaires, et en sort un petit flacon de vernis, trouvé un jour en jouant sur le bord d'un chemin – elle n'a pas osé dire à sa mère qu'elle l'avait dérobé alors qu'il venait de tomber du sac d'une passante. Le flacon avait roulé dans le fossé, où l'enfant l'avait ramassé, le serrant comme un trésor pour le dissimuler. Elle avait rapporté son butin le soir même en prétextant l'avoir trouvé, gonflée d'un sentiment de joie, en même temps que de honte. Si Vishnou savait…

Smita prend le flacon des mains de sa fille, et dessine sur son front un rond rouge vermillon. Il faut que le cercle soit parfait, c'est une technique délicate, qui demande un peu d'entraînement. Elle tapote doucement le vernis du bout de son doigt, avant de le fixer avec de la poudre. Le bindi, le « troisième œil » comme on l'appelle ici, retient l'énergie et augmente la concentration. Lalita en aura besoin aujourd'hui, se dit sa mère. Elle contemple le petit cercle régulier sur le front de l'enfant et sourit. Lalita est jolie. Elle a les traits fins, les yeux noirs, sa bouche est ourlée comme le contour d'une fleur. Elle est belle dans son sari vert. Smita se sent pleine de fierté devant sa fille en écolière. Elle mange peut-être du rat mais elle saura lire, se dit-elle tandis qu'elle lui prend la main et l'entraîne vers la grande route. Elle va l'aider à traverser, ici les camions affluent dès le matin et roulent vite, il n'y a pas de signalisation, ni de passage réservé aux piétons.

Tandis qu'elles s'avancent, Lalita lève les yeux vers sa mère, inquiète : ce ne sont pas les camions qui l'effrayent, mais ce monde nouveau, inconnu de ses parents, dans lequel elle va devoir pénétrer, seule. Smita sent le regard implorant de l'enfant ; il serait si facile de rebrousser chemin, de prendre le panier en jonc, de l'emmener avec elle… Mais non, elle ne verra pas Lalita vomir dans le fossé. Sa fille ira à l'école. Elle saura lire, écrire et compter.

Applique-toi.
Obéis.
Écoute le maître.

La fillette a l'air perdue, soudain, si fragile que Smita voudrait la prendre dans ses bras et ne plus jamais la lâcher. Elle doit lutter contre cet élan, se faire violence. L'instituteur a dit « d'accord » lorsque Nagarajan est allé le voir. Il a contemplé la boîte dans laquelle Smita avait glissé toutes leurs économies – des pièces soigneusement mises de côté, des mois durant, à cet effet. Il s'en est emparé et a dit « d'accord ». Smita le sait, tout fonctionne ainsi. L'argent est force de persuasion ici. Nagarajan est revenu annoncer la bonne nouvelle à sa femme, et ils se sont réjouis.

Elles traversent, et tout à coup, c'est là, maintenant, le moment de lâcher la main de sa fille de l'autre côté de la route. Smita voudrait tant dire : réjouis-toi, tu n'auras pas ma vie, tu seras en bonne santé, tu ne tousseras pas comme moi, tu vivras mieux, et plus longtemps, tu seras respectée. Tu n'auras pas sur toi cette odeur infâme, ce parfum indélébile et maudit, tu seras digne. Personne ne te jettera des restes comme à un chien. Tu ne baisseras plus jamais la tête, ni les yeux. Smita aimerait tant lui dire tout ça. Mais elle ne sait comment s'exprimer, comment dire à sa fille ses espoirs, ses rêves un peu fous, ce papillon qui bat dans son ventre.

Alors elle se penche vers elle, et lui dit simplement : *Va*.

## Giulia

*Palerme, Sicile.*

Giulia s'éveille en sursaut.

Elle a rêvé de son père cette nuit. Enfant, elle aimait tant l'accompagner faire sa tournée. Tôt le matin, ils montaient ensemble sur sa Vespa, elle ne grimpait pas à l'arrière mais à l'avant, sur les genoux de son père. Elle aimait plus que tout le vent dans ses cheveux, cette impression grisante d'infini et de liberté que la vitesse produit. Elle n'avait pas peur, les bras de son père l'entouraient, rien ne pouvait lui arriver. Elle criait dans les descentes, de plaisir et d'excitation. Elle regardait le soleil se lever sur les côtes de Sicile, l'agitation naissante dans les faubourgs, la vie qui s'éveille et s'étire.

Plus que tout, elle aimait sonner aux portes. Bonjour, c'est pour la *cascatura,* annonçait-elle fièrement. Les femmes parfois lui donnaient une friandise ou une image, en lui confiant leurs sachets de cheveux. Giulia récupérait fièrement le butin, qu'elle tendait au *papa*. Il sortait de son sac la petite balance en fonte qu'il emportait partout, héritée de son père, et de son grand-père avant lui. Il pesait les mèches pour en estimer la valeur et donnait à la femme quelques pièces. Jadis, les cheveux étaient échangés contre des allumettes, mais à l'arrivée des briquets, leur commerce s'était éteint. Maintenant, on payait argent comptant.

Son père évoquait souvent en riant ces personnes âgées, trop fatiguées pour quitter leur chambre, qui descendaient au bout d'une corde un panier contenant leurs cheveux. Il les saluait d'un geste, prenait les mèches, avant de placer l'argent dans le panier qui remontait par le même procédé.

Giulia se souvient de cela : le rire de son père lorsqu'il lui racontait.

Puis ils repartaient tous deux vers d'autres maisons. *Arrivederci !* Chez les coiffeurs, le butin était plus conséquent, Giulia aimait l'expression de son père lorsqu'il recevait une tresse de cheveux longs, les plus rares et les plus chers. Il les pesait, les mesurait, en touchait la texture et la densité. Il payait, remerciait, repartait. Il fallait faire vite, rien qu'à Palerme l'atelier Lanfredi comptait cent fournisseurs. S'ils se dépêchaient, ils seraient de retour pour le déjeuner.

Un instant encore, l'image est là. Giulia a neuf ans sur la Vespa.

Les quelques secondes qui suivent sont floues, confuses, comme si la réalité peinait à faire le point et se mêlait au rêve qui vient de s'achever.

C'est donc vrai. Le *papa* a eu un accident la veille, pendant sa tournée. Pour une raison inexpliquée, sa Vespa a quitté la route. Il le connaît pourtant, ce chemin, il l'a emprunté des centaines de fois. Un animal a dû traverser, ont dit les pompiers, à moins qu'il n'ait fait un malaise. Nul ne sait. Il est entre la vie et la mort à présent, à l'hôpital Francesco Saverio. Les médecins refusent de se prononcer. Il faut se préparer au pire, ont-ils dit à la *mamma*.

Le pire, Giulia ne peut l'envisager. Un père ça ne meurt pas, un père c'est éternel, c'est un roc, un pilier, surtout le sien. Pietro Lanfredi est une force de la nature, il nous fera un centenaire, a l'habitude de dire son ami le docteur Signore, en buvant avec lui un verre de *grappa*. Lui, Pietro, le bon vivant, le jouisseur, le *papa,* l'amateur de bons vins, le patriarche, le patron, le colérique, le passionné, lui, son père, son père adoré, ne peut pas s'en aller. Pas maintenant. Pas comme ça.

Aujourd'hui, on célèbre Santa Rosalia. Quelle sombre ironie, se dit Giulia. Toute la journée, les Palermitains en liesse vont défiler en hommage à leur Sainte Patronne. La *Festinu* va battre son plein, comme chaque année. Selon la coutume, son père a donné congé aux ouvrières, afin qu'elles participent aux célébrations – la procession le long du *Corso Vittorio Emanuele,* puis le feu d'artifice sur le *Foro Italico,* à la nuit tombée.

Giulia n'a pas le cœur à la fête. En tentant d'ignorer les manifestations de joie dans les rues, elle se rend au chevet de son père, avec sa mère et ses sœurs. Sur son lit d'hôpital, le *papa* n'a pas l'air de souffrir – cette pensée la console un peu. Son corps jadis puissant paraît si fragile aujourd'hui qu'on dirait un enfant. Il semble plus petit qu'avant, songe-t-elle, comme s'il avait rétréci. C'est peut-être cela qui se produit, quand l'âme s'en va… Elle chasse aussitôt de son esprit cette funeste pensée. Son père est là. Il vit encore. Il faut se raccrocher à ça. Une *commotion cérébrale*, selon les médecins. Un mot qui signifie : on ne sait pas. Personne ne peut dire s'il va vivre ou mourir. Lui-même semble n'avoir pas choisi.

Il faut prier, dit la *mamma.* Ce matin, elle demande à Giulia et ses sœurs de l'accompagner à la procession de Santa Rosalia. La Vierge Fleurie fait des miracles, dit-elle, elle l'a prouvé par le passé en sauvant la ville de la peste, il faut aller l'invoquer. Giulia n'aime guère ces manifestations de ferveur religieuse, ni la foule dont elle redoute les mouvements inopinés. En outre, elle ne croit pas à tout cela. Bien sûr elle a été baptisée, a fait sa communion – elle se rappelle ce jour où, vêtue de la traditionnelle robe blanche, elle a reçu pour la première fois le sacrement de l'eucharistie, sous le regard pieux et intense de sa famille réunie. Ce souvenir est, d'entre tous, l'un des plus beaux de sa vie. Mais aujourd'hui, elle n'a pas envie de prier. Elle voudrait rester près du *papa*.

Sa mère insiste. Si les médecins sont impuissants, Dieu seul peut le sauver. Elle semble si convaincue que Giulia, soudain, envie sa foi, cette foi du charbonnier qui ne l'a jamais quittée. Sa mère est la femme la plus pieuse qu'elle connaisse. Elle se rend chaque semaine à l'église pour des messes en latin dont elle ne comprend rien, ou si peu – *il n'y a pas besoin de comprendre pour honorer Dieu*, se plaît-elle à répéter. Giulia finit par céder.

Ensemble, elles rejoignent le cortège et la foule des admirateurs de Santa Rosalia, entre la cathédrale et les *Quattro Canti*. Une marée humaine se presse là pour rendre hommage à la Vierge Fleurie, dont la gigantesque statue est portée dans les rues. En ce mois de juillet, il fait chaud à Palerme, une touffeur accablante baigne la ville et ses avenues.

Au milieu du cortège, Giulia suffoque. Elle sent ses oreilles bourdonner, sa vue se brouiller.

Profitant de ce que la mère s'arrête pour saluer une voisine qui s'enquiert de l'état du *papa* – la nouvelle a fait le tour du quartier –, Giulia s'écarte du défilé. Elle se réfugie dans une ruelle à l'ombre, pour se rafraîchir à l'eau d'une fontaine. L'air redevient respirable. Alors qu'elle reprend ses esprits, des éclats de voix retentissent dans la rue, un peu plus loin. Deux *carabinieri* en uniforme apostrophent un homme à la peau sombre. De forte stature, il porte un turban noir, que les gardiens de l'ordre le somment de retirer. L'homme proteste, dans un italien impeccable ponctué d'un accent étranger : il est en règle, dit-il en montrant ses papiers, mais les gendarmes ne l'écoutent pas. Ils s'énervent, menacent de l'emmener au poste s'il persévère dans son refus d'obtempérer – une arme peut être cachée sous ce couvre-chef, affirment-ils, en ce jour de défilé rien ne doit être laissé au hasard. L'homme tient bon. Son turban est un signe d'appartenance à sa religion, il a interdiction de l'enlever en public. En outre, il n'empêche pas de l'identifier, poursuit-il, il apparaît ainsi sur sa carte d'identité – un privilège accordé aux sikhs par le gouvernement italien. Giulia observe la scène d'un air troublé. L'homme est beau. De stature athlétique, il a les traits fins, la peau sombre et les yeux étrangement clairs. Il est âgé d'une trentaine d'années, tout au plus. Les *carabinieri* haussent le ton, l'un d'eux commence à le bousculer. L'attrapant fermement, ils finissent par l'entraîner en direction de la gendarmerie.

L'inconnu ne résiste pas. Dans une attitude à la fois digne et résignée, il passe devant Giulia, encadré par les carabiniers. L'espace d'un instant, leurs regards se croisent. Giulia ne baisse pas les yeux – l'étranger non plus. Elle le regarde disparaître au coin de la rue.

Che fai ?!

Francesca arrive derrière elle et la fait sursauter.

On te cherche partout !
Andiamo ! Dai !

À regret, Giulia reprend le chemin du cortège derrière sa sœur aînée.

Le soir, elle a du mal à trouver le sommeil. L'image de l'homme à la peau sombre lui revient. Elle ne peut s'empêcher de se demander ce qu'il est devenu, ce que les gendarmes lui ont fait. L'ont-ils inquiété, battu ? renvoyé dans son pays ? Son esprit se perd en conjectures vaines. Une question, plus que toute autre, la tourmente : aurait-elle dû intervenir ? Et qu'aurait-elle pu faire ? Elle se sent coupable de sa passivité. Elle ignore pourquoi le sort de l'inconnu l'intrigue ainsi. Un sentiment étrange s'est emparé d'elle lorsqu'il l'a regardée – un sentiment qu'elle ne connaît pas. Est-ce de la curiosité ? De l'empathie ?

À moins que ce ne soit autre chose, qu'elle ne sait pas nommer.

## Sarah

*Montréal, Canada.*

Sarah vient de tomber. Dans la salle du tribunal, au milieu d'une plaidoirie. Elle s'est d'abord interrompue, le souffle court, regardant autour d'elle comme si, soudain, elle ne savait plus où elle était. Elle a tenté de reprendre le fil de son argumentaire, malgré la pâleur de son teint et le tremblement de ses mains, qui seuls trahissaient son malaise. Puis sa vue s'est brouillée, son champ de vision obscurci, son souffle est devenu court. Son rythme cardiaque s'est ralenti, le sang a quitté son visage, comme une rivière abandonnant son lit. Sarah s'est effondrée sur elle-même, à la manière des tours jumelles du World Trade Center, qu'on disait inébranlables. Sa chute s'est faite en silence. Elle n'a pas protesté, n'a pas appelé à l'aide. Elle s'est écroulée sans un bruit, comme un château de cartes, presque avec grâce.

Lorsqu'elle rouvre les yeux, un homme est penché sur elle, vêtu d'un uniforme de pompier.

Vous avez fait un malaise, madame. On vous emmène à l'hôpital.

L'homme a dit : Madame. Sarah est en train de reprendre conscience, mais le détail ne lui échappe pas. Elle déteste qu'on lui donne du *Madame*, le mot claque sur elle comme une gifle. Au cabinet, tous le savent : on l'appelle Maître ou Mademoiselle, jamais Madame. Deux fois mariée, deux fois divorcée, les effets s'annulent. Et puis Sarah l'exècre, ce mot qui signifie : vous n'êtes plus une jeune femme, une demoiselle, vous êtes passée dans la catégorie d'après. Elle hait ces questionnaires où il faut cocher la tranche d'âge à laquelle on appartient. Il a fallu renoncer à la séduisante tranche des 30-39 ans, pour passer à celle, moins attrayante, des 40-49. La quarantaine, Sarah ne l'a pas vue venir. Pourtant, elle a bien eu trente-huit ans, elle a même eu trente-neuf, mais quarante, non, vraiment, elle ne s'y attendait pas. Elle ne pensait pas que cela viendrait si vite. « Personne n'est jeune après quarante ans », elle se souvient de cette phrase de Coco Chanel lue dans un magazine, qu'elle avait aussitôt refermé. Elle n'avait pas pris le temps de lire la suite : « Mais on peut être irrésistible à tout âge. »

*Mademoiselle.* Sarah corrige immédiatement, en se redressant. Elle tente de se lever, mais le pompier l'arrête d'un geste à la fois doux et autoritaire. Elle proteste, évoque le dossier qu'elle était en train de plaider. Une affaire urgente de la première importance – comme elles le sont toujours.

Vous vous êtes coupée en tombant. On doit vous faire des points.

À côté d'elle se tient Inès, la collaboratrice qu'elle a recrutée, et qui l'assiste dans ses dossiers. La jeune femme l'informe que l'audience a été reportée. Elle vient d'appeler le cabinet pour décaler ses rendez-vous suivants – comme toujours Inès est réactive, efficace, en un mot : parfaite. Elle semble inquiète pour Sarah, propose de l'accompagner à l'hôpital, mais celle-ci préfère la renvoyer au cabinet ; elle sera plus utile là-bas, pour préparer l'assignation du lendemain.

Tandis qu'elle patiente dans le service des urgences du *Chum*, Sarah songe qu'en dépit de son nom charmant, qui évoque ici un(e) petit(e) ami(e) et connote une relation amoureuse, le CHU de Montréal n'a rien d'attrayant. Elle finit par se lever pour s'en aller. Elle n'a pas l'intention de patienter deux heures pour trois points sur le front, un simple pansement suffira, elle doit retourner travailler. Un médecin la rattrape, la fait rasseoir : elle doit attendre d'être examinée. Sarah proteste, mais n'a d'autre choix que d'obtempérer.

L'interne qui l'ausculte enfin a les mains longues et fines. Il a l'air concentré. Il lui pose de nombreuses questions, auxquelles Sarah répond de façon laconique. Elle ne saisit pas l'intérêt de tout cela, elle va bien, elle le répète, mais l'interne poursuit son examen. À contrecœur, comme une suspecte à laquelle on arracherait des aveux, elle finit par l'admettre : oui, elle est fatiguée en ce moment. Comment ne pas l'être lorsqu'on a trois enfants, une maison à tenir, un frigo à remplir, en plus d'un travail à plein temps ?

Sarah ne dit pas que depuis un mois, elle se lève épuisée. Que chaque soir quand elle rentre, après avoir écouté le compte rendu de Ron sur la journée des enfants, dîné avec eux, couché les jumeaux et fait réciter ses leçons à Hannah, elle s'effondre sur le canapé, et s'endort avant d'avoir atteint la télécommande de cet écran géant qu'elle vient d'acheter et ne regarde jamais.

Elle ne dit pas non plus cette douleur dans la poitrine du côté gauche, qu'elle ressent depuis quelque temps. Sans doute rien… Elle n'a pas envie d'en parler, pas là, pas maintenant, à cet inconnu en blouse blanche qui la dévisage d'un air froid. Ce n'est pas le moment.

L'interne semble pourtant inquiet : sa tension est basse, et puis il y a cette pâleur. Sarah minimise, elle fait semblant, donne le change, elle est douée pour ça. Après tout, c'est un métier. Tous connaissent cette boutade au cabinet : *Quand sait-on qu'un avocat ment ? Lorsque ses lèvres bougent.* Elle est venue à bout des magistrats les plus retors de la ville, ce n'est pas un jeune interne qui la fera tomber. Un simple coup de pompe, voilà tout. Un burn-out ? Le terme la fait sourire. Une expression à la mode, galvaudée, un bien grand mot pour un petit coup de fatigue. Elle n'a pas assez mangé ce matin, ou pas assez dormi… Pas assez baisé, serait-elle tentée d'ajouter avec humour, mais l'air sévère de l'interne la dissuade de toute tentative de rapprochement. C'est dommage, il serait presque beau, avec ses petites lunettes et ses cheveux bouclés, presque son genre… Elle va prendre des vitamines, s'il veut, oui. En souriant elle évoque un cocktail boostant dont elle a le secret : café, cognac et cocaïne. Très efficace, il devrait essayer.

L'interne n'est pas d'humeur à plaisanter. Il lui suggère de se reposer, de prendre un congé. « Lever le pied », voilà le terme qu'il emploie. Sarah éclate de rire. On peut donc être médecin et avoir de l'humour… Lever le pied ? Et comment ? En vendant ses enfants sur eBay ? En décidant qu'à partir de ce soir on ne mange plus ? En annonçant à ses clients qu'elle fait grève au cabinet ? Elle gère des dossiers aux enjeux cruciaux, qu'elle ne peut déléguer. S'arrêter n'est pas une option. Prendre un congé, elle ne sait même plus ce que cela veut dire, elle arrive à peine à se souvenir de ses dernières vacances

– l'année précédente, ou celle d'avant ?... L'interne laisse échapper cette phrase creuse qu'elle préfère ne pas relever : *Personne n'est irremplaçable*. Il n'a visiblement aucune idée de ce que signifie : être associée chez *Johnson & Lockwood*. Aucune idée de ce que veut dire : être dans la peau de Sarah Cohen.

Elle veut s'en aller, maintenant. L'interne tente de la retenir pour d'autres examens, mais elle se défile.

Elle n'est pourtant pas du genre à remettre au lendemain. À l'école, elle était une bonne élève, « une élève studieuse », disaient ses professeurs. Elle détestait faire le travail à la dernière minute, elle aimait « s'avancer », selon sa propre expression. Elle avait l'habitude de consacrer les premières heures du week-end ou des vacances à ses devoirs, elle se sentait plus libre ensuite. Au cabinet aussi, elle a toujours une longueur d'avance sur les autres, c'est ce qui lui a valu de progresser si vite. Elle ne laisse rien au hasard, elle an-ti-ci-pe.

Mais pas là. Pas maintenant.
Ce n'est pas le moment.

Alors Sarah repart vers le monde, vers ses rendez-vous, ses *conf calls*, ses listes, ses dossiers, ses plaidoiries, ses réunions, ses notes, ses comptes rendus, ses déjeuners d'affaires, ses assignations, ses référés, ses trois enfants. Elle retourne au front comme un bon petit soldat, remet ce masque qu'elle a toujours porté et qui lui va si bien, celui de la femme souriante à qui tout réussit. Il n'est pas abîmé, pas même fissuré. En arrivant au cabinet, elle rassurera Inès et ses collaborateurs : ce n'était rien. Et tout repartira comme avant.

Dans les semaines qui suivront, il y aura cette visite de contrôle chez la gynécologue, oui, je sens quelque chose, dira-t-elle en auscultant Sarah, et son visage alors se teintera d'inquiétude. Elle lui prescrira une série d'examens aux noms barbares, qui font peur rien qu'à les prononcer, mammographie, IRM, scanner, biopsie. Des examens qui, à eux seuls, sont presque un diagnostic. Une condamnation.

Mais pour l'instant, *ce n'est pas le moment.* Sarah quitte l'hôpital, contre l'avis de l'interne.

Pour l'instant, tout va bien.

Tant qu'on n'en parle pas, ça n'existe pas.

*La pièce n'est pas plus grande qu'une chambre,*
*On pourrait y mettre un lit, tout au plus.*
*Et encore, ce serait un lit d'enfant.*
*C'est là que je travaille, seule,*
*Jour après jour, dans le silence.*

*Bien sûr, il y a des machines, mais le rendu est plus épais.*
*Ici pas de travail à la chaîne.*
*Chaque modèle est un prototype.*
*Et chacun d'eux fait ma fierté.*

*Avec le temps, mes mains sont devenues presque indépendantes du reste de mon corps.*
*Si le geste s'apprend,*
*La rapidité s'acquiert au fil des ans.*

*Je travaille depuis si longtemps,*
*Penchée sur ce métier*
*Que mes yeux en sont usés.*

*Mon corps est fatigué,*
*Perclus de rhumatismes,*
*Et pourtant,*
*Mes doigts n'ont rien perdu de leur agilité.*

*Parfois, mon esprit s'échappe de cet atelier,*
*Et m'entraîne*
*Vers des contrées lointaines,*
*Vers des vies inconnues,*
*Dont les voix me parviennent*
*Comme un écho ténu,*
*Et se mêlent à la mienne.*

## Smita

*Village de Badlapur, Uttar Pradesh, Inde.*

En entrant dans la cahute, Smita remarque immédiatement l'expression de sa fille. Elle s'est hâtée de finir sa tournée, ne s'est pas arrêtée chez la voisine pour partager les restes des Jatts comme elle en a l'habitude. Elle a couru au puits prendre de l'eau, a déposé son panier de jonc et s'est lavée dans la cour – un seau, pas plus, il faut en laisser pour Lalita et Nagarajan. Tous les soirs avant de passer le seuil de sa maison, Smita frotte trois fois son corps avec du savon, elle refuse de ramener l'odeur infâme chez elle, elle ne veut pas que sa fille et son mari l'associent à cette puanteur. Cette odeur, l'odeur de la merde des autres, ce n'est pas elle, elle ne veut pas être réduite à ça. Alors elle frotte, de toutes ses forces, ses mains ses pieds son corps son visage, elle frotte à s'en arracher la peau, derrière ce bout de tissu qui lui sert de paravent, dans le fond de cette cour, à l'orée du village de Badlapur, aux confins de l'Uttar Pradesh.

Smita se sèche et met des vêtements propres avant d'entrer dans la cahute. Lalita est assise dans un coin, les genoux serrés contre la poitrine. Elle a le regard fixe, rivé au sol. Sur son visage flotte une expression que sa mère ne lui connaît pas, un mélange indéfinissable de colère et de tristesse.

Qu'est-ce que tu as ?

L'enfant ne répond pas. Elle ne desserre pas les mâchoires.

Dis-moi.
Raconte.
Parle !

Lalita reste muette, le regard dans le vide, comme si elle fixait un point imaginaire qu'elle est la seule à voir, un lieu inaccessible, loin de la cahute, loin du village, où personne ne peut l'atteindre, pas même sa mère. Smita s'énerve.

Parle !

L'enfant se recroqueville, rentre en elle-même comme un escargot effrayé dans sa coquille. Il serait facile de la secouer, de crier, la forcer à parler. Mais Smita connaît sa fille : elle ne tirera rien d'elle ainsi. Dans son ventre, le papillon s'est transformé en crabe. Un sentiment d'angoisse l'étreint. Que s'est-il donc passé à l'école ? Elle ne connaît pas ce monde-là, pourtant elle y a envoyé sa fille, son trésor. A-t-elle eu tort ? Que lui ont-ils fait ?

Elle observe l'enfant : dans son dos, le sari semble déchiré. Un accroc, oui, c'est un accroc !

Qu'est-ce que tu as fait ?
Tu t'es salie !
Où est-ce que tu as traîné ?!

Smita attrape la main de sa fille, et l'attire à elle pour la décoller du mur : le sari neuf, qu'elle a cousu des heures durant, nuit après nuit, renonçant à dormir pour qu'il soit prêt à temps, ce sari qui fait sa fierté, est déchiré, abîmé, souillé !

Tu l'as déchiré ! Regarde !

Smita se met à crier, furieuse, avant de se figer. Un doute terrible s'est emparé d'elle. Elle entraîne Lalita dans la cour, au grand jour – l'intérieur de la cahute est sombre et ne laisse guère entrer la lumière. Elle entreprend de la déshabiller, lui ôtant vigoureusement le sari. Lalita n'oppose pas de résistance, l'étoffe cède facilement, le vêtement est un peu grand pour elle. Smita tressaille en découvrant le dos de l'enfant : il est zébré de marques rouges. Des traces de coups. La peau est fendue par endroits, à vif. Rouge vermillon, comme son bindi.

Qui t'a fait ça ?!
Dis-moi !
Qui t'a frappée ?!

La petite fille baisse les yeux, et laisse échapper deux mots. Deux mots seulement.

Le maître.

Le visage de Smita s'empourpre. La jugulaire dans son cou se gonfle sous l'effet de la colère – Lalita a horreur de cette petite veine en saillie, qui lui fait peur, sa mère est si calme d'habitude. Smita attrape l'enfant et la secoue, son petit corps nu vacille comme une brindille.

Pourquoi ?
Qu'as-tu fait ?!
Tu n'as pas obéi ?!

Elle explose : sa fille désobéissante, le jour de la rentrée ! C'est sûr, le maître ne voudra pas la reprendre, tous ses espoirs, envolés, ses efforts anéantis ! Elle sait ce que cela veut dire : le retour aux latrines, à la fange, à la merde des autres. À ce panier, ce panier maudit dont elle voulait tant la préserver… Smita n'a jamais été violente, elle n'a jamais frappé personne, mais elle sent soudain monter en elle une bouffée de rage incontrôlée. C'est un sentiment nouveau qui l'envahit tout entière, une marée qui recouvre la digue de sa raison et la submerge. Elle gifle l'enfant. Lalita se recroqueville sous les coups, elle protège son visage de ses mains, du mieux qu'elle peut.

Nagarajan est en train de rentrer des champs, lorsqu'il entend des cris dans la cour. Il se précipite. Il s'interpose entre sa femme et sa fille. *Arrête ! Smita !* Il parvient à la repousser et prend Lalita dans ses bras. Elle est secouée de sanglots. Il découvre les marques de coups dans son dos, les zébrures sur la peau fendue. Il serre l'enfant contre lui.

Elle a désobéi au Brahmane, hurle Smita. Nagarajan se tourne vers sa fille, toujours dans ses bras.

C'est vrai ?

Après un moment de silence, Lalita finit par lâcher cette phrase qui vient les gifler tous deux :

Il voulait que je balaye la classe.

Smita s'est figée. Lalita a parlé tout bas, elle n'est pas sûre d'avoir bien entendu. Elle la fait répéter.

Qu'est-ce que tu dis ?!

Il voulait que je balaye devant les autres.
J'ai dit non.

Redoutant de nouveaux coups, l'enfant se recroqueville. Elle devient plus petite soudain, comme si elle rétrécissait sous l'effet de la peur. Smita a le souffle coupé. Elle attire à elle la fillette, la serre aussi fort que ses frêles membres le lui permettent et se met à pleurer. Lalita enfouit sa tête dans le cou de sa mère, en signe d'abandon et de paix. Elles restent longtemps ainsi, sous le regard désemparé de Nagarajan. C'est la première fois qu'il voit sa femme pleurer. Devant les épreuves que la vie leur a imposées, elle n'a jamais flanché, jamais cédé, c'est une femme forte et volontaire. Mais pas aujourd'hui. Serrée contre le corps de sa fille meurtrie et humiliée, elle redevient une enfant comme elle, et pleure ses espoirs déçus, cette vie dont elle a tant rêvé et qu'elle ne pourra pas lui offrir, parce qu'il y aura toujours des Jatts et des Brahmanes pour leur rappeler qui ils sont, et d'où ils viennent.

Le soir, après avoir couché et bercé Lalita, qui s'est finalement endormie, Smita laisse éclater sa colère. Pourquoi a-t-il fait ça, ce maître, ce Brahmane, il était pourtant d'accord pour accueillir Lalita avec les autres, les enfants des Jatts, il a pris leur argent et leur a dit « d'accord » ! Cet homme, Smita le connaît, et sa famille aussi, sa maison est au centre du village. Elle nettoie ses latrines tous les jours, sa femme lui donne du riz, parfois. Alors pourquoi ?!

Soudain, elle repense aux cinq lacs que Vishnou avait remplis du sang des Kshatriyas, lorsqu'il avait défendu la caste des Brahmanes. Ce sont eux les lettrés, les prêtres, les éclairés, au-dessus de toutes les autres castes, au sommet de l'humanité. Pourquoi s'en prendre à Lalita ? Sa fille n'est pas un danger pour eux, elle ne menace ni leur savoir, ni leur position, alors pourquoi la replonger ainsi dans la fange ? Pourquoi ne pas lui apprendre à lire et à écrire, comme aux autres enfants ?

Balayer la classe, cela veut dire : tu n'as pas le droit d'être ici. Tu es une Dalit, une *scavenger*, ainsi tu resteras, ainsi tu vivras. Tu mourras dans la merde, comme ta mère et ta grand-mère avant toi. Comme tes enfants, tes petits-enfants, et tous ceux de ta descendance. Il n'y aura rien d'autre pour vous, les Intouchables, rebuts de l'humanité, rien d'autre que ça, cette odeur infâme, pour les siècles et les siècles, juste la merde des autres, la merde du monde entier à ramasser.

Lalita ne s'est pas laissé faire. Elle a dit non. À cette pensée, Smita se sent fière de sa fille. Cette enfant de six ans, à peine plus haute qu'un tabouret, a regardé le Brahmane dans les yeux et lui a dit : non. Il l'a attrapée, l'a frappée avec sa baguette en jonc, au milieu de la classe, devant tous les autres. Lalita n'a pas pleuré, n'a pas crié, elle n'a pas émis un seul son. Lorsque l'heure du déjeuner a sonné, le Brahmane l'a privée de repas, il a confisqué la boîte en fer que Smita avait préparée pour elle. La petite fille n'a pas même eu le droit de s'asseoir, juste celui de regarder les autres manger. Elle n'a pas réclamé, n'a pas mendié. Elle est restée debout, seule. Digne. Oui, Smita se sent fière de sa fille, elle mange peut-être du rat mais elle a plus de force que tous ces Brahmanes et ces Jatts réunis, ils ne l'ont pas domptée, pas écrasée. Ils l'ont rouée de coups, zébrée de cicatrices mais elle est là, au-dedans d'elle-même. Intacte.

Nagarajan n'est pas d'accord avec sa femme : Lalita aurait dû céder, passer le balai, après tout, ce n'est pas si terrible, un coup de balai, ça fait moins mal qu'un coup de baguette en jonc... Smita explose. Comment peut-il parler ainsi ?! L'école est faite pour instruire, non pour asservir. Elle va aller lui parler, au Brahmane, elle sait où il habite, elle connaît la porte dérobée à l'arrière de sa maison, elle y entre tous les jours avec son panier pour nettoyer sa fange… Nagarajan la retient : elle ne gagnera rien à affronter le Brahmane. Il est plus puissant qu'elle. Tous sont plus puissants qu'elle. Lalita doit accepter les brimades, si elle veut retourner à l'école. C'est à ce prix qu'elle apprendra à lire et à écrire. C'est ainsi dans leur monde, on ne sort pas impunément de sa caste. Tout se paye ici.

Smita dévisage son mari en tremblant de colère : elle ne laissera pas son enfant devenir le bouc émissaire du Brahmane. Comment ose-t-il l'imaginer ? Comment peut-il même y penser ?! Il devrait prendre sa défense, s'insurger, lutter contre le monde entier pour sa fille – n'est-ce pas ce que doit faire un père ? Smita préférerait mourir que de l'envoyer à nouveau à l'école ; Lalita n'y mettra plus les pieds. Elle maudit cette société qui écrase ses faibles, ses femmes, ses enfants, tous ceux qu'elle devrait protéger.

Soit, répond Nagarajan. Lalita n'y retournera pas. Demain, Smita l'emmènera avec elle, pour sa tournée. Elle lui apprendra le métier de sa mère et sa grand-mère. Elle lui transmettra son panier. Après tout, c'est ce que font les femmes de sa famille depuis des siècles. C'est son darma. Smita a eu tort d'espérer autre chose pour elle. Elle a voulu sortir de sa route, du chemin qui était tracé, le Brahmane l'y a reconduite à grands coups de baguette en jonc. La discussion est terminée.

Ce soir-là, Smita prie devant le petit autel consacré à Vishnou. Elle sait qu'elle ne pourra pas trouver le sommeil. Elle repense aux cinq lacs de sang, et se demande combien de lacs de leur sang à eux, les Intouchables, il faudra remplir pour les libérer de ce joug millénaire. Ils sont des millions comme elle, des masses résignées attendant la mort, tout ira mieux dans une vie prochaine, disait sa mère, à moins que le cycle infernal des réincarnations ne cesse. Le *nirvana*, l'ultime destination, voilà ce qu'elle espérait. Mourir près du Gange, le fleuve sacré, était son rêve. On dit qu'après le cycle infernal de la vie s'arrête. Ne plus renaître, se fondre dans l'absolu, le cosmos, voilà le but suprême. Cette chance n'est pas donnée à tout le monde, disait-elle. D'autres sont condamnés à vivre. L'ordre des choses doit être accepté comme une sanction divine. C'est ainsi : l'éternité se mérite.

En attendant l'éternité, les Dalits courbent l'échine.

Mais pas Smita. Pas aujourd'hui.

Pour elle-même, elle a accepté ce sort comme une cruelle fatalité. Mais ils n'auront pas sa fille.

Elle s'en fait la promesse, là, devant l'autel dédié à Vishnou, au milieu de la cahute sombre où son mari dort déjà. Non, ils n'auront pas Lalita. Sa révolte est silencieuse, inaudible, presque invisible.

Mais elle est là.

## Giulia

*Palerme, Sicile.*

On dirait la Belle au bois dormant, songe Giulia en regardant son père.

Voilà huit jours qu'il repose dans ce lit d'hôpital aux draps blancs. Son état est stationnaire. Il a l'air paisible, endormi ainsi, comme une fiancée qui attendrait qu'on vienne la réveiller. Giulia songe à l'histoire de la *Bella Addormentata* qu'il lui lisait le soir, lorsqu'elle était enfant. Il prenait une voix grave pour évoquer la mauvaise fée – celle qui jette le sort funeste. Ce conte, elle l'avait entendu mille fois, mais se sentait toujours soulagée quand la princesse, enfin, se réveillait. Elle aimait tant cela, la voix de son père résonnant dans la maison familiale, à la nuit tombée.

La voix s'est tue.
Il n'y a que le silence, à présent, autour du *papa*.

Il a fallu reprendre le travail à l'atelier. Les ouvrières ont toutes manifesté leur soutien à Giulia. Gina lui a cuisiné sa *cassate,* qu'elle aime tant. Agnese a acheté des chocolats pour la *mamma.* La *Nonna* a proposé de la relayer au chevet du *papa.* Alessia, dont le frère est chanoine, a fait dire des prières à Santa Caterina. C'est toute une petite communauté qui se tient là, autour de Giulia, et refuse de céder au chagrin. Devant elles, la jeune femme veut rester positive, comme son père l'a toujours été. Il va sortir du coma, elle en est convaincue. Il va reprendre sa place ici. Ce n'est qu'une parenthèse, se dit-elle, un instant suspendu.

Chaque soir, elle se rend à son chevet après la fermeture de l'atelier. Elle a pris l'habitude de lui faire la lecture – d'après les médecins, les patients dans le coma entendent ce qu'on dit autour d'eux. Alors Giulia lit à haute voix, des heures durant, de la poésie de la prose des romans. C'est à moi de lui lire des histoires à présent, se dit-elle. Il l'a tant fait pour moi. De là où il est, son *papa* l'entend, elle le sait.

Ce jour-là, elle se rend à la bibliothèque à la pause-déjeuner, pour y emprunter des livres à son intention. Alors qu'elle pénètre dans la salle de lecture, baignée de silence, un étrange événement se produit. Elle ne le voit pas tout de suite, caché entre les rayonnages. Soudain, elle l'aperçoit.

Il est là.

Le turban.

Le turban de la dernière fois, celui de la rue, le jour de Santa Rosalia.

Giulia est stupéfaite. L'inconnu est de dos – elle ne peut voir son visage. Il change d'allée. Elle lui emboîte le pas, intriguée. Alors qu'il saisit un ouvrage, elle voit enfin ses traits – c'est bien lui, l'homme arrêté par les *carabinieri*... Il semble chercher quelque chose qu'il ne parvient pas à trouver. Troublée par la coïncidence, Giulia reste un moment à l'observer. Il ne l'a pas remarquée.

Elle finit par approcher. Elle ne sait comment l'aborder – elle n'a pas l'habitude d'accoster les hommes. D'ordinaire, ce sont eux qui viennent lui parler. Giulia est belle, on le lui a souvent dit. Malgré ses allures de garçonne, elle dégage un mélange d'innocence et de sensualité qui ne laisse pas les représentants de la gent masculine indifférents. *Les yeux qui brillent sur le passage des filles*, elle connaît. Les Italiens sont doués pour ça, les belles paroles, la ritournelle – elle sait bien où ça mène. Pourtant, une audace inattendue s'empare d'elle.

Buongiorno.

L'inconnu se retourne, surpris. Il ne semble pas la reconnaître. Giulia marque un temps, intimidée.

Je vous ai vu l'autre jour, dans la rue pendant le défilé. Quand les gendarmes…

Elle ne finit pas sa phrase, soudain gênée. Et si l'évocation de l'incident le mettait mal à l'aise ?… Déjà, elle regrette son audace. Elle voudrait disparaître, ne jamais l'avoir abordé. Mais l'homme hoche la tête. Il la reconnaît maintenant.

Giulia reprend :

J'avais peur… qu'ils vous aient mis en prison.

Il sourit, dans une expression où se mêlent candeur et amusement – qui est donc cette étrange fille qui semble s'inquiéter de lui ?

Ils m'ont gardé l'après-midi. Et ils m'ont laissé repartir.

Giulia observe ses traits. Malgré sa peau sombre, il a les yeux incroyablement clairs, elle les voit nettement à présent. Ils sont d'un bleu tirant sur le vert – à moins que ce ne soit l'inverse. Le mélange est intrigant. Elle s'enhardit :

Je peux peut-être vous aider.
Je connais bien les rayons.
Vous cherchez un ouvrage en particulier ?

L'homme explique qu'il voudrait un livre en italien – quelque chose de pas trop compliqué, précise-t-il. S'il parle couramment, il a encore du mal avec la langue écrite. Il aimerait progresser. Giulia acquiesce. Elle l'entraîne vers le rayon de littérature italienne. Elle hésite – les auteurs contemporains lui semblent difficiles d'accès. Elle finit par lui conseiller un roman de Salgari qu'elle lisait enfant : *I figli del Aria*, son préféré. L'inconnu le prend et la remercie. N'importe quel homme d'ici chercherait à la retenir, engagerait la conversation. Il profiterait de l'occasion pour tenter de la séduire. Pas lui. Il la salue simplement, avant de s'éloigner.

En le regardant quitter la bibliothèque, muni du livre qu'il vient d'emprunter, Giulia sent son cœur se serrer. Elle s'en veut de ne pas avoir le courage de le rattraper. Ici, ces choses-là ne se font pas. On ne court pas après un homme qu'on vient de rencontrer. Elle regrette d'être cette jeune femme-là, qui depuis toujours s'accoude aux événements pour les regarder passer, sans oser en changer le cours. À cet instant, elle maudit son manque d'audace et sa passivité.

Bien sûr, elle a eu des amis, des flirts, quelques histoires. Il y a eu des baisers, des caresses à la dérobée. Giulia s'est laissé faire, se contentant de répondre à l'intérêt qu'on lui manifestait. Elle ne s'est jamais donné le mal de plaire.

Elle reprend le chemin de l'atelier en songeant à l'inconnu, à ce turban qui lui donne un air décalé, hors du temps. À ces cheveux qu'il doit cacher. À son corps aussi, sous la chemise froissée. À cette pensée, elle rougit.

Elle revient le lendemain, animée du secret espoir de le recroiser. Elle n'a pourtant pas besoin de livres ce jour-là, elle n'a pas encore fini ceux qu'elle lit au *papa.* Elle se fige en pénétrant dans la salle de lecture : l'homme est là. Au même endroit que la veille. Il lève les yeux vers elle, comme s'il l'attendait. À cet instant, Giulia a l'impression que son cœur va se décrocher.

Il s'approche d'elle, si près qu'elle peut sentir son haleine tiède et sucrée. Il voulait la remercier pour le livre qu'elle lui a conseillé. Il ne savait pas quoi lui offrir, alors il lui a apporté une petite bouteille d'huile d'olive, de la coopérative où il est employé. Giulia le dévisage, touchée ; il y a en lui un mélange de douceur et de dignité qui la bouleverse. C'est la première fois qu'un homme la trouble ainsi.

Elle prend la fiole, étonnée. Il précise qu'il a pressé lui-même les fruits, après les avoir ramassés. Alors qu'il s'apprête à s'en aller, Giulia s'enhardit. Les joues en feu, elle lui propose d'aller faire quelques pas sur la jetée… La mer est proche, le ciel est dégagé…

L'inconnu marque un temps, avant d'accepter.

Kamaljit Singh – tel est son nom – n'est pas bavard. C'est un détail qui surprend Giulia ; ici les hommes sont volubiles, se plaisent à parler d'eux. Le rôle des femmes est de les écouter. Comme le lui a expliqué sa mère, il faut laisser l'homme briller. Kamal est différent. Il ne se livre pas facilement. À Giulia, il accepte pourtant de raconter son histoire.

De religion sikh, il a quitté le Cachemire à l'âge de vingt ans, fuyant les violences faites aux siens là-bas. Depuis les événements de 1984, lorsque l'armée indienne a réprimé dans le sang les revendications des indépendantistes, massacrant les fidèles dans le Temple d'Or, leur sort est menacé. Kamal est arrivé en Sicile par une nuit glacée, sans ses parents – beaucoup font le choix d'envoyer leurs enfants en Occident à leur majorité. Il a été accueilli par l'importante communauté sikh de l'île. L'Italie est le deuxième pays d'Europe à les accueillir après l'Angleterre, précise-t-il. Il s'est mis à travailler par le biais du *caporalato,* une pratique qui fournit aux employeurs une main-d'œuvre à bon marché. Il raconte comment le *caporale* recrute et achemine les clandestins vers leur lieu de travail. Pour couvrir les frais de déplacement, la bouteille d'eau et le maigre *panino* qu'il leur donne, il prend un pourcentage de leur salaire, parfois jusqu'à la moitié. Kamal se souvient avoir travaillé pour un ou deux euros l'heure. Il a ramassé tout ce que la terre d'ici produit : des citrons, des olives, des tomates cerises, des oranges, des artichauts, des courgettes, des amandes… Les conditions de travail ne sont pas négociables. Ce que le *caporale* offre est à prendre ou à laisser.

Sa patience a finalement été récompensée ; après trois ans passés dans l'illégalité, Kamal a obtenu le statut de réfugié et une carte de résident permanent. Il a trouvé un travail de nuit dans une coopérative fabriquant de l'huile d'olive. C'est un emploi qui lui plaît. Il raconte comment il peigne les branches d'oliviers avec une sorte de râteau pour en ramasser les fruits sans les abîmer. Il aime la compagnie de ces arbres parfois millénaires. Il se dit fasciné par leur longévité. L'olive est un aliment noble, conclut-il en souriant, un symbole de paix.

Si l'administration l'a régularisé, le pays ne l'a pas pour autant adopté. La société sicilienne regarde de loin ses immigrés, les deux mondes se côtoient sans se parler. Kamal avoue regretter son pays. Lorsqu'il l'évoque, un voile de tristesse l'enveloppe, comme un grand manteau flottant autour de lui.

Ce jour-là, Giulia revient à l'atelier avec deux heures de retard. Pour rassurer la *Nonna* qui s'est inquiétée, elle prétend qu'un pneu de son vélo a crevé.

Elle ne dit pas la vérité : si le deux-roues est intact, son âme vient de chavirer.

## Sarah

*Montréal, Canada.*

La bombe est lâchée. Elle vient d'exploser là, dans le cabinet de ce médecin un peu gauche qui ne sait pas comment annoncer la nouvelle. Il a pourtant de l'expérience, des années de pratique à son actif, mais voilà, il ne s'y fait pas. Trop de compassion pour ses patientes, sans doute, toutes ces femmes jeunes et moins jeunes qui voient leur vie basculer en quelques minutes, à l'annonce d'un mot redouté.

BRCA2. Sarah l'apprendra par la suite, le nom du gène mutant. La malédiction des femmes ashkénazes. Comme si ce n'était pas assez, pensera-t-elle. Il y a eu les pogroms, la Shoah. Pourquoi elle et les siens, encore ? Elle le lira écrit noir sur blanc, dans un article médical : les femmes juives ashkénazes ont une chance sur quarante de développer un cancer du sein, contre une sur cinq cents dans la population globale. C'est un fait scientifiquement établi. Il y a des facteurs aggravants : un cas de cancer chez les ascendants directs, une grossesse gémellaire… Tous les signaux étaient là, pensera Sarah, visibles, évidents. Elle ne les a pas vus. Ou n'a pas voulu les voir.

En face d'elle, le médecin a des sourcils noirs et broussailleux. Sarah ne peut en détacher les yeux ; c'est étrange, cet homme qu'elle ne connaît pas est en train de lui parler de la tumeur sur ses radios, la taille d'une mandarine, précise-t-il, pourtant elle n'arrive pas à se concentrer sur ce qu'il dit. Elle a l'impression de ne distinguer que cela, ces sourcils bruns et hirsutes, semblables à un territoire peuplé de bêtes sauvages ; il y a aussi des poils qui sortent de ses oreilles. Des mois plus tard, lorsque Sarah repensera à ce jour, c'est ce souvenir qui lui reviendra en premier : les sourcils du médecin qui lui a annoncé qu'elle avait un cancer.

Bien sûr, il ne dit pas le mot, c'est un mot que personne ne prononce, un mot qu'il faut deviner, derrière les périphrases, le jargon médical dans lequel on la noie. On dirait qu'il est une insulte, qu'il est tabou, maudit. C'est pourtant de cela qu'il s'agit.

La taille d'une mandarine, a-t-il dit. C'est là. C'est bien là. Sarah a pourtant tout fait pour reculer cette échéance, ne pas s'avouer la douleur lancinante, la fatigue extrême. Elle en a chassé l'idée à chaque fois qu'elle se présentait, à chaque fois qu'elle aurait pu – dû ? – la formuler, mais aujourd'hui il faut faire face. C'est là, ça existe.

Une mandarine, c'est énorme et dérisoire à la fois, pense Sarah. Elle ne peut s'empêcher de se dire que la maladie l'a prise en traître, au moment où elle s'y attendait le moins. La tumeur est maligne, sournoise, elle a œuvré silencieusement, dans l'ombre, a préparé son coup.

Sarah écoute le médecin, elle observe ses lèvres bouger, mais ses mots ne semblent pas la toucher, comme si elle les percevait à travers une épaisseur ouatée, comme si, au fond, ils ne la concernaient pas. Pour un proche, elle serait inquiète, affolée, effondrée. Étrangement, pour elle-même, il n'en est rien. Elle écoute le médecin sans y croire, comme s'il lui parlait d'un autre, de quelqu'un qui lui serait tout à fait étranger.

À la fin de l'entretien, il lui demande si elle a des questions. Sarah secoue la tête et sourit, de ce sourire qu'elle connaît bien et affiche en toutes circonstances, ce sourire qui veut dire : *ne vous en faites pas, ça ira*. C'est un leurre bien sûr, un masque derrière lequel elle entasse ses chagrins, ses doutes et ses angoisses – un beau bazar là-dedans, à dire vrai. De l'extérieur, rien ne paraît. Le sourire de Sarah est lisse, gracieux, parfait.

Au médecin, elle ne demande pas ses chances, elle refuse de réduire son avenir à une statistique. Certains veulent savoir, elle pas. Elle ne laissera pas les chiffres s'immiscer en elle, dans sa conscience, dans son imaginaire, ils seraient capables de proliférer, comme la tumeur elle-même, de saper son moral, sa confiance, sa guérison.

Dans le taxi qui la ramène au cabinet, elle dresse un état des lieux de la situation. Elle est une guerrière. Elle va se battre. Sarah Cohen va traiter cette affaire comme elle a traité toutes les autres. Elle qui ne perd jamais un dossier (ou si peu) ne va pas se laisser impressionner par une mandarine, si maligne soit-elle. Dans l'affaire « Sarah Cohen *versus* M. », puisque tel sera désormais son nom de code, il y aura des attaques, des contre-attaques, des coups bas, aussi, sans doute. La partie adverse ne s'avouera pas vaincue si facilement, Sarah le sait, la mandarine est vicieuse, sûrement l'adversaire la plus retorse qu'elle ait eue à affronter. Il s'agit d'une procédure au long cours, ce sera une guerre des nerfs, une succession de moments d'espoir, de doute, et d'autres où peut-être elle se croira vaincue. Il faudra tenir, coûte que coûte. Ce genre de combat se gagne à l'endurance, Sarah le sait.

Comme elle étudierait un dossier, elle brosse à grands traits sa stratégie d'attaque de la maladie.

Elle ne va rien dire. À personne. Au cabinet, nul ne doit savoir. La nouvelle ferait l'effet d'une bombe dans l'équipe et, pire encore, chez les clients. Cela risquerait de les inquiéter inutilement. Sarah est l'une des fondations du cabinet, l'un de ses piliers, elle doit rester solide pour ne pas faire pencher l'édifice tout entier. Et puis elle ne veut pas de la pitié des autres, de leur compassion. Certes elle est malade, mais ce n'est pas une raison pour que sa vie change. Il faudra être très organisée pour ne pas éveiller les soupçons, inventer des codes secrets dans son agenda pour ses séances à l'hôpital, trouver des raisons pour justifier ses absences. Il faudra se montrer inventive, méthodique, rusée. Telle l'héroïne d'un roman d'espionnage, Sarah va mener une guerre souterraine. Un peu comme on cache une liaison extraconjugale, elle va organiser l'anonymat de sa maladie. Elle sait faire ça, compartimenter sa vie, elle a des années de pratique. Elle va continuer la construction de son mur, encore plus haut, toujours plus haut. Après tout, elle a réussi à dissimuler ses grossesses, elle parviendra bien à cacher son cancer. Il sera son enfant secret, son fils illégitime, dont nul ne pourra soupçonner l'existence. Inavouable, et invisible.

Lorsqu'elle revient au cabinet, Sarah reprend le cours de ses activités. Imperceptiblement, elle guette la réaction de ses collègues, leurs regards, l'inflexion de leurs voix. Elle constate avec soulagement que personne n’a rien remarqué. Non, elle n’a pas le mot « cancer » gravé sur le front, personne ne voit qu’elle est malade.

À l’intérieur elle est en miettes, mais cela, personne ne le sait.

## Smita

*Village de Badlapur, Uttar Pradesh, Inde.*

Partir.

Cette pensée s'est imposée à Smita, comme une injonction du ciel. Il faut quitter le village.

Lalita ne retournera pas à l'école. Le maître l'a battue après qu'elle a refusé de balayer la classe devant ses camarades. Plus tard, ces enfants deviendront des fermiers dont elle devra vider les latrines. De cela, il n'est pas question. Smita ne le permettra pas. Elle a entendu une fois cette phrase de Gandhi, citée par un médecin qu'elle avait rencontré dans un dispensaire du village voisin : « Nul ne doit toucher de ses mains les excréments humains. » À ce qu'il paraît, le Mahatma avait déclaré le statut d'Intouchable illégal, contraire à la Constitution et aux droits de l'homme, mais depuis rien n'a changé. La plupart des Dalits acceptent leur sort sans protester. D'autres se convertissent au bouddhisme pour échapper au système des castes, à la manière de Babasaheb, le maître spirituel des Dalits. Smita a entendu parler de ces grandes cérémonies collectives, où ils sont des milliers à changer de religion. Des lois anti-conversion ont même été promulguées, pour tenter de contenir ces mouvements qui affaiblissent le pouvoir des autorités – les candidats à la conversion doivent désormais obtenir une autorisation, sous peine de poursuites judiciaires, un détail qui ne manque pas d'ironie : autant demander à son geôlier la permission de s'évader.

Smita ne peut se résoudre à ce choix. Elle est trop attachée à ces divinités que ses parents vénéraient avant elle. Plus que tout, elle croit en la protection de Vishnou, c'est à lui qu'elle adresse ses prières, matin et soir, depuis qu'elle est née. À lui qu'elle confie ses rêves, ses doutes et ses espoirs. L'abandonner la ferait trop souffrir, l'absence de Vishnou laisserait un vide en elle, impossible à combler. Elle se sentirait plus orpheline encore qu'à la mort de ses parents. Elle n'est en revanche guère attachée à ce village qui l'a vue grandir. Cette terre souillée qu'elle doit nettoyer jour après jour, inlassablement, ne lui a rien donné, rien offert d'autre que ces rats faméliques que Nagarajan rapporte le soir, tristes trophées.

Partir, fuir cet endroit. C'est la seule issue.

Ce matin, elle réveille Nagarajan. Il a dormi profondément alors qu'elle n'a pas trouvé le repos. Elle envie la tranquillité du sommeil de son mari ; la nuit, il est un lac dont nul remous ne vient troubler la surface, alors qu'elle-même s'agite des heures durant. L'obscurité ne la délivre pas de ses tourments mais au contraire les réverbère, leur donne un terrible écho. Dans le noir, tout lui paraît dramatique et définitif. Elle prie souvent pour qu'il s'arrête, ce tourbillon de pensées qui ne la laissent pas en paix. Elle reste parfois des nuits entières, les yeux grands ouverts. Les hommes ne sont pas égaux devant le sommeil, pense-t-elle. Les hommes ne sont égaux devant rien.

Nagarajan s'éveille dans un grognement. Smita le tire de sa couche. Elle a réfléchi : il faut quitter le village. Ils n'ont rien à attendre de cette vie-là, cette vie qui leur a tout pris. Il n'est pas trop tard pour Lalita, la sienne ne fait que commencer. Elle a tout, sauf ce que les autres vont lui enlever. Smita ne les laissera pas faire.

Ma femme divague, pense Nagarajan, elle a encore passé une nuit agitée. Smita se fait pressante : ils doivent partir à la ville. On raconte que là-bas, il y a des places réservées pour les Dalits dans les écoles et les universités. Des places pour les gens comme eux. Là-bas, Lalita aura sa chance. Nagarajan secoue la tête, la ville est une illusion, un rêve de pacotille. Les Dalits s'y retrouvent sans abri, agglutinés sur les trottoirs, ou dans ces bidonvilles qui pullulent à la lisière des agglomérations, comme des verrues sur un pied. Au moins ici, ils ont un toit et de quoi manger. Smita s'enflamme : ils mangent du rat, et ramassent de la merde. Là-bas ils trouveront un travail, ils seront dignes. Elle se sent prête à relever le défi, elle est courageuse, dure au mal, elle prendra tout ce qu'on lui proposera, tout, plutôt que cette vie-là. Elle le supplie. Pour elle. Pour eux. Pour Lalita.

Nagarajan est tout à fait éveillé à présent. A-t-elle perdu la tête ?! Pense-t-elle qu'elle peut disposer ainsi de sa vie ? Il lui rappelle alors cette histoire terrible, qui a agité le village il y a quelque temps. La fille d'un de leurs voisins, une Dalit comme elle, avait décidé de partir pour étudier en ville. Les Jatts l'ont attrapée alors qu'elle fuyait à travers la campagne. Ils l'ont emmenée dans un champ reculé, et l'ont violée, à huit, deux jours durant. Lorsqu'elle est rentrée chez ses parents, elle pouvait à peine marcher. Ces derniers sont allés porter plainte auprès du Panchayat, le conseil de village, qui fait autorité ici. Bien sûr, il est aux mains des Jatts. Il n'y siège ni femme, ni Dalit, comme ce devrait pourtant être le cas. Chaque décision du conseil a force de loi, même si elle va à l'encontre de la Constitution indienne. Cette justice parallèle n'est jamais discutée. Le conseil a proposé quelques billets à la famille pour la dédommager, en échange du retrait de la plainte, mais la jeune femme a refusé l'argent de la honte. Son père a tenté de la soutenir, puis a fini par ployer sous la pression de la communauté, et s'est donné la mort, abandonnant sa famille sans ressources, condamnant sa femme au terrible statut de veuve. Elle et ses enfants ont été bannis du village, contraints d'abandonner leur maison. Ils ont fini dans le dénuement le plus total, au bord d'une route, dans un fossé.

Cette histoire, Smita la connaît. Pas besoin de la lui rappeler. Elle sait qu'ici, dans son pays, les victimes de viol sont considérées comme les coupables. Il n'y a pas de respect pour les femmes, encore moins si elles sont Intouchables. Ces êtres qu'on ne doit pas toucher, pas même regarder, on les viole pourtant sans vergogne. On punit l'homme qui a des dettes en violant sa femme. On punit celui qui fraye avec une femme mariée en violant ses sœurs. Le viol est une arme puissante, une arme de destruction massive. Certains parlent d'épidémie. Une récente décision d'un conseil de village a défrayé la chronique près d'ici : deux jeunes femmes ont été condamnées à être déshabillées et violées en place publique, pour expier le crime de leur frère parti avec une femme mariée, de caste supérieure. Leur sentence a été exécutée.

Nagarajan tente de raisonner Smita : fuir, c'est la promesse de représailles terribles. Ils s'en prendront aussi à Lalita. La vie d'une enfant ne vaut pas plus que la sienne. Ils les violeront toutes les deux, et les pendront à un arbre, comme ces deux jeunes Dalits d'un village voisin le mois dernier. Smita a déjà entendu ce chiffre, qui l'a fait frissonner : deux millions de femmes, assassinées dans le pays, chaque année. Deux millions, victimes de la barbarie des hommes, tuées dans l'indifférence générale. Le monde entier s'en fiche. Le monde les a abandonnées.

Qui croit-elle donc être, face à cette violence, cette avalanche de haine ? Pense-t-elle pouvoir y échapper ? Se croit-elle plus forte que les autres ?

Ces arguments terrifiants ne viennent pas à bout de l'opiniâtreté de Smita. Ils partiront la nuit. Elle préparera leur départ en cachette. Ils rejoindront Varanasi, la ville sacrée à cent kilomètres, de là ils prendront un train pour traverser l'Inde jusqu'à Chennai : des cousins de sa mère vivent là-bas, ils les aideront. La ville est au bord de la mer, on raconte qu'un homme a créé une communauté de pêcheurs pour les *scavengers*, les gens comme elle. Il existe aussi des écoles pour les enfants Dalits. Lalita saura lire et écrire. Ils trouveront du travail. Ils n'auront plus à manger du rat.

Nagarajan dévisage Smita, incrédule : avec quel argent payeront-ils le voyage ?! Les billets de train coûtent plus cher que tous leurs biens réunis. Ils ont donné leurs maigres économies au Brahmane pour envoyer Lalita à l'école, il ne leur reste rien. Smita baisse la voix : elle est exténuée par des nuits sans sommeil mais, étrangement, elle semble plus forte que jamais, là, dans l'obscurité de la cahute. Il faut aller reprendre l'argent. Elle sait où il se trouve. Elle a vu la femme du Brahmane ranger leurs économies, une fois, dans la cuisine, alors qu'elle entrait chez eux pour vider leurs latrines. Elle y va tous les jours, il suffirait d'un instant pour… Nagarajan explose : quel *asura*[1] s'est donc emparé d'elle ?!? Son projet terrible va les faire tuer, elle et toute la famille ! Il aime encore mieux ramasser des rats toute sa vie et attraper la rage, que la suivre dans ses plans insensés ! Si Smita se fait prendre, ils périront tous, et de la pire façon qui soit. Ce jeu dangereux n'en vaut pas la chandelle. Il n'y a pas d'espoir à Chennai pour eux, pas plus qu'ailleurs. L'espoir n'est pas dans cette vie-là, mais dans la prochaine. S'ils se conduisent bien, le cycle des réincarnations leur sera peut-être clément – secrètement, Nagarajan rêve d'être réincarné en rat, pas ces rats hirsutes et affamés qu'il chasse à mains nues dans les champs et fait griller le soir, mais les rats sacrés du temple de Deshnoke, près de la frontière pakistanaise, où son

1. Être démoniaque dans la mythologie indienne.

père l'a emmené une fois lorsqu'il était enfant : les surmulots du temple sont au nombre de vingt mille. Considérés comme des dieux, ils sont protégés et nourris par la population, qui leur apporte du lait. Le prêtre est chargé de veiller sur eux ; de partout on vient leur porter des offrandes. Nagarajan se souvient de l'histoire de la déesse Karminata que lui avait racontée son père : elle avait perdu un enfant et supplié qu'on le lui rende, mais il s'était réincarné en rat. Le temple avait été bâti en hommage à ce fils perdu. À force de passer ses journées dans les champs à chasser les rongeurs, Nagarajan a fini par les prendre en estime, ils lui sont devenus étrangement familiers, un peu comme le justicier éprouve du respect pour le bandit qu'il poursuit toute sa vie. Finalement, se dit-il, ces créatures sont comme lui : elles ont faim et cherchent à survivre. Oui, il serait doux d'être réincarné en rat dans le temple de Deshnoke, et de passer sa vie à boire du lait. C'est une idée qui le berce parfois, après sa journée de labeur, et l'aide à s'endormir. C'est une étrange berceuse, mais qu'importe, c'est la sienne.

Smita n'a nulle envie d'attendre la vie prochaine, c'est cette vie-là qu'elle veut, maintenant, pour elle et Lalita. Elle évoque cette femme Dalit parvenue au sommet de l'État, Kumari Mayawati, aujourd'hui la plus riche femme du pays. Une Intouchable devenue gouverneur ! On dit qu'elle se déplace en hélicoptère. Elle n'a pas courbé l'échine, elle, n'a pas attendu que la mort la délivre de cette vie, elle s'est battue, pour elle-même, pour eux tous. Nagarajan s'énerve de plus belle, Smita sait bien que rien n'a changé, cette femme qui s'est élevée en prêchant la cause des Dalits n'en a plus rien à faire d'eux. Elle les a abandonnés. Elle vole dans les airs et eux rampent dans la merde, voilà la vérité ! Il n'y aura personne pour les tirer d'ici, de cette vie, de ce karma, ni Mayawati ni les autres, seule la mort les en délivrera. En attendant, ils resteront ici, dans ce village où ils sont nés et ont toujours vécu. À ces mots assenés comme un coup de machette, Nagarajan sort de la cahute.

Soit, se dit alors Smita. Si tu ne veux pas venir, je partirai sans toi.

## Giulia

*Palerme, Sicile.*

*« Maintenant ce qui vit*
*a une voix et un sang.*
*Maintenant terre et ciel*
*sont un frisson puissant,*
*l'espérance les tord,*
*le matin les bouleverse,*
*ton pas et ton haleine*
*d'aurore les submergent*[1]*. »*

Kamal et Giulia se voient tous les jours à présent. Ils ont pris l'habitude de se retrouver à la bibliothèque à l'heure du déjeuner. Ils vont souvent marcher près de la mer. Giulia est intriguée par cet homme qui ne ressemble en rien à ceux qu'elle connaît – des Siciliens, il n'a ni l'allure ni les manières, et c'est peut-être cela qui lui plaît. Les hommes de sa

1. Cesare Pavese, *Travailler fatigue. La mort viendra et elle aura tes yeux. Poésies variées*, Poésies/Gallimard, 1979.

famille sont autoritaires, bavards, colériques et butés. Kamal en est l'opposé.

Elle n'est jamais sûre qu'elle va le retrouver. Chaque midi, en entrant dans la salle de lecture, elle le cherche des yeux. Il s'y tient parfois. D'autres jours, il ne vient pas. Et cette incertitude délicieuse ne fait que renforcer la curiosité de Giulia. Dans son ventre, il y a ce fourmillement qui la réveille la nuit, un sentiment nouveau et exquis. Elle lit et relit les poèmes de Pavese, dont les mots sont le seul remède à ce manque qu'elle a déjà de lui.

La chose se produit un midi, alors qu'ils sont en train de se promener. Giulia l'entraîne plus loin qu'à l'accoutumée, vers une plage où les touristes ne vont pas. Elle veut lui montrer cet endroit où elle va lire parfois. C'est une grotte que personne ne connaît, dit-elle ; elle se plaît à le croire en tout cas.

La crique est déserte à cette heure-là. La grotte est calme, humide et sombre, à l'abri du monde. Sans un mot, Giulia se dévêt. Sa robe d'été glisse à ses pieds. Kamal reste immobile, figé comme devant une fleur qu'on hésite à cueillir de peur de l'abîmer. Giulia lui tend la main, dans un geste qui est plus qu'un encouragement : une invitation. Lentement, il défait son turban, retire le peigne qui maintient ses cheveux prisonniers. Ils se déroulent comme un écheveau de laine, jusqu'à sa taille. Giulia se met à trembler. Elle n'a jamais vu d'homme aux cheveux si longs – ici ce sont les femmes qui les portent ainsi. Kamal n'a rien de féminin, pourtant. Elle le trouve incroyablement viril, avec ces cheveux noir de jais. Il l'embrasse très doucement, comme on baiserait les pieds d'une idole, en osant à peine la toucher.

Giulia n'a jamais rien connu de semblable. Kamal fait l'amour comme on prie, les yeux fermés, comme si sa vie en dépendait. Ses mains sont élimées par des nuits de travail, mais son corps est très doux, comme un grand pinceau dont le seul contact la fait frissonner.

Après l'amour, ils restent longtemps enlacés. À l'atelier, les ouvrières rient de ces hommes qui s'endorment juste après l'étreinte, mais Kamal n'est pas de ceux-là. Il garde Giulia serrée contre lui, comme un trésor dont il ne veut pas se séparer. Elle pourrait rester des heures ainsi, son corps brûlant contre le sien, sa peau claire contre la peau douce et foncée.

Ils prennent l'habitude de se retrouver là, dans la grotte, près de la mer. Kamal travaillant de nuit à la coopérative, et Giulia de jour à l'atelier, ils se voient à l'heure du déjeuner. Ils font l'amour à midi, et leurs étreintes ont le goût des moments volés. La Sicile entière est au travail, affairée dans les bureaux, les banques ou les marchés, mais pas eux. Ces heures-là leur appartiennent, ils en usent et en abusent, comptant leurs grains de beauté, répertoriant leurs cicatrices, goûtant chaque parcelle de leur peau. On ne fait pas l'amour le jour comme on le fait la nuit, il y a quelque chose d'audacieux, d'étrangement plus brutal à découvrir un corps en pleine lumière.

À se croiser ainsi, Giulia trouve qu'ils ressemblent à ces danseurs de tarentelle qu'elle regardait, enfant, dans les bals en été : se rejoindre, se toucher, s'éloigner, tel est le pas de danse de leur relation, rythmée par ces allées et venues au travail, de jour, de nuit. Un décalage frustrant, autant que romantique.

Kamal est un homme mystérieux. Giulia ne sait rien de lui, ou si peu. Il n'évoque jamais sa vie d'avant, celle qu'il a dû abandonner pour venir ici. Devant le spectacle de la mer, parfois, son regard se perd. Son manteau de tristesse alors réapparaît, l'enveloppe tout entier. Pour Giulia, l'eau est la vie, une source de plaisir sans cesse renouvelé, une forme de sensualité. Elle aime nager, sentir l'eau glisser sur son corps. Un jour, elle essaye de l'entraîner mais il refuse de se baigner. *La mer est un cimetière*, lui dit-il, et Giulia n'ose le questionner. Elle ne sait rien de ce qu'il a vécu, de ce que l'eau lui a volé. Il lui racontera, un jour, peut-être. Ou pas.

Ensemble, ils ne parlent ni de l'avenir, ni du passé. Giulia n'attend rien de lui, rien d'autre que ces heures volées à l'après-midi. Seul compte l'instant présent, ce moment où leurs corps s'entrelacent pour ne plus faire qu'un, telles deux pièces d'un puzzle se fondant l'une dans l'autre, parfaitement.

S'il ne parle jamais de lui, Kamal évoque volontiers son pays. Giulia pourrait l'écouter des heures entières. Il est comme un livre ouvert sur une contrée qui lui est délicieusement étrangère. Elle ferme les yeux, et a l'impression d'embarquer sur un bateau dont elle est la seule passagère. Kamal dit les montagnes du Cachemire, les bords de la rivière Jhelum, le lac Dhal et ses hôtels flottants, il dit la couleur rouge des arbres en automne, les jardins luxuriants, les tulipes s'étendant à perte de vue au pied de l'Himalaya. Giulia le relance, elle veut en savoir plus, raconte, dit-elle, raconte encore. Kamal parle de sa religion, de ses croyances, du *Rehat Maryada*, le code de conduite des sikhs qui leur interdit de se couper les cheveux et la barbe, comme de boire, fumer, manger de la viande ou se livrer aux jeux de hasard. Il parle de son dieu qui prône une vie intègre et pure, un dieu unique et créateur qui n'est ni chrétien, ni hindou, ni d'aucune confession, qui est UN, voilà tout. Les sikhs pensent que toutes les religions peuvent mener à lui, et qu'à ce titre elles sont toutes dignes de respect. Giulia aime l'idée de cette foi sans péché originel, sans paradis et sans enfer – ces derniers n'existent que dans ce monde-ci, pense Kamal, et elle songe qu'il dit vrai.

La religion sikh, explique-t-il, considère qu'une femme a la même âme qu'un homme. Elle traite de manière égale les deux sexes. Les femmes peuvent réciter les hymnes divins au temple, officier lors de toutes les cérémonies, comme celle du baptême. Elles doivent être respectées, honorées pour leur rôle dans la famille et la société. Un sikh doit regarder la femme d'un autre comme une sœur ou une mère, la fille d'un autre comme la sienne. Signe révélateur de cette égalité, les prénoms sikhs sont mixtes, indifféremment utilisés pour les hommes et les femmes. Seul le deuxième nom les différencie : *Singh* pour les hommes, qui signifie « Lion », et *Kaur* pour les femmes, qu'il traduit par « Princesse ».

Principessa.

Giulia aime que Kamal l'appelle ainsi. Elle a de plus en plus de mal à le quitter pour retourner travailler. Il serait doux de passer des jours entiers près de lui, se dit-elle. Des jours, et des nuits aussi. Il lui semble qu'elle pourrait rester là, toute la vie, à faire l'amour et à l'écouter.

Elle sait pourtant qu'elle n'a pas le droit d'être ici. Kamal n'a pas la même peau, pas le même dieu que les Lanfredi. Elle imagine ce que sa mère dirait : un homme à la peau sombre, qui n'est pas même chrétien ! Elle serait mortifiée. La nouvelle ferait le tour du quartier.

Alors Giulia aime Kamal en secret. Leurs amours sont clandestines. Ce sont des amours sans papiers.

Elle rentre de plus en plus tard à l'atelier, après sa pause-déjeuner. La *Nonna* commence à se douter de quelque chose. Elle a remarqué ce sourire sur son visage, cet éclat nouveau dans ses yeux. Giulia prétend se rendre chaque jour à la bibliothèque mais revient essoufflée, les joues en feu. Un après-midi, la *Nonna* croit même voir du sable sous son fichu, dans ses cheveux... Les ouvrières commencent à jaser : a-t-elle un amoureux ? Qui est-il ? Est-ce un gars du quartier ? Est-il plus jeune ? Plus âgé ? Giulia dément, avec cette insistance qui est presque un aveu.

Pauvre Gino, soupire Alda, il va avoir le cœur brisé ! Ici, toutes savent que Gino Battagliola, le patron du salon de coiffure du quartier, est fou d'elle. Voilà des années qu'il la courtise. Il vient toutes les semaines à l'atelier vendre ses cheveux coupés ; il passe parfois même sans raison, juste pour la saluer. Toutes ici s'en amusent. Elles rient de ces cadeaux qu'il lui apporte en vain. Giulia reste de marbre, mais Gino garde espoir et revient inlassablement, les bras chargés de *buccellatini* aux figues, que les ouvrières mangent avec appétit.

Chaque soir, après la fermeture, Giulia se rend au chevet de son père pour lui faire la lecture. Elle s'en veut, parfois, de se sentir si vivante au milieu de cette tragédie. Son corps exulte, frissonne, jouit comme jamais il n'a joui, alors que son père se bat pour sa vie. Pourtant elle a besoin de se raccrocher à ça, pour se dire qu'elle va continuer, pour ne pas céder à la peine et à l'accablement. La peau de Kamal est un baume, un onguent, un remède au chagrin du monde. Elle voudrait n'être que cela, un corps livré au plaisir, car le plaisir la tient debout, la tient en vie. Elle se sent tiraillée entre des sentiments extrêmes, tour à tour abattue et exaltée. Tel un acrobate sur un fil, elle a l'impression d'osciller au gré du vent. C'est ainsi, se dit-elle, la vie rapproche parfois les moments les plus sombres et les plus lumineux. Elle prend et donne en même temps.

Aujourd'hui, la *mamma* lui a confié une mission, celle d'aller chercher un papier dans le bureau de son père à l'atelier. L'hôpital lui réclame un document qu'elle ne parvient pas à trouver, *dio mio, que tout cela est compliqué*, se lamente-t-elle. Giulia n'a pas le cœur de refuser. Elle n'a pourtant pas envie d'entrer dans cette pièce. Elle n'y a pas remis les pieds depuis l'accident. Elle ne veut pas qu'on touche aux affaires de son père. Elle tient à ce qu'il retrouve l'endroit tel qu'il l'a laissé, lorsqu'il sortira du coma. Ainsi, il saura que tout le monde l'attendait.

Elle pousse la porte de la cabine de projection transformée en bureau. Elle met un temps à y entrer. Au mur est encadrée la photo de Pietro, près de celles de son père et son grand-père, trois générations de Lanfredi qui se sont succédé à la tête de l'atelier. Un peu plus loin, d'autres clichés sont simplement punaisés : Francesca bébé, Giulia sur la Vespa, Adela le jour de sa communion, la *mamma* en tenue de mariée, le sourire un peu figé. Le pape aussi, pas François mais Jean-Paul II, le plus admiré.

La pièce est telle que son père l'a laissée au matin de son accident. Giulia observe son fauteuil, ses classeurs, ce cendrier de terre glaise dans lequel il jette ses mégots, et qu'elle avait façonné, enfant, pour lui en faire cadeau. Son univers semble vidé de sa substance, en même temps qu'étrangement habité. Sur le bureau, l'agenda est ouvert à une page terrible, celle du 14 juillet. Cette page, Giulia se sent incapable de la tourner. C'est comme si son père était là soudain, tout entier, dans cet agenda Moleskine à la couverture de cuir noir, comme s'il restait un peu de lui entre les lignes du carnet, dans l'encre de ces mots, jusqu'à cette petite tache en bas de la page, figée sur le papier. Giulia a l'impression qu'il est là, dans chaque particule d'air, dans chaque atome du mobilier.

L'espace d'un instant, elle est tentée de rebrousser chemin, de refermer la porte. Pourtant elle ne bouge pas. Elle a promis à la *mamma* de lui rapporter ce papier. Lentement, elle ouvre un premier tiroir, puis un deuxième. Le troisième, celui du bas, est fermé à clé. Giulia s'en étonne. Elle est envahie d'un pressentiment. Le *papa* n'a pas de secret, chez les Lanfredi on n'a rien à cacher… Alors pourquoi ce tiroir fermé ?

Dans sa tête, les questions se mettent à tournoyer. Son imagination galope, comme un cheval fou qu'on aurait libéré. Son père aurait-il une maîtresse ? Une vie cachée ? Est-ce la *Piovra*, qui de ses tentacules serait venue le toucher ?… Chez les Lanfredi, on ne mange pas de ce pain-là… Alors pourquoi ce doute qui assaille Giulia, comme une prémonition, un nuage noir qui obscurcit son horizon ?

Après de brèves recherches, elle finit par trouver la clé, dans cette boîte à cigares offerte par la *mamma*.

Giulia tressaille : a-t-elle seulement le droit d'être là ? Il est encore temps de renoncer…

D'une main tremblante, elle donne un tour de clé. Le tiroir s'ouvre enfin : il renferme une liasse de papiers. Giulia s'en saisit.

Le sol, alors, se dérobe sous ses pieds.

# Sarah

*Montréal, Canada.*

Au début, le plan de Sarah a bien fonctionné.

Elle a pris deux semaines de congé pour l'opération. Il en fallait trois – le médecin a pourtant insisté, une semaine d'hospitalisation suivie de deux de repos complet, qu'elle a ramenées à une. Elle ne peut décemment prendre plus sans éveiller les soupçons au cabinet. Cela fait deux ans qu'elle n'est pas partie en vacances, les enfants ne sont même pas en congé à cette période, qui prendrait trois semaines au beau milieu du mois de novembre, alors que les audiences tombent comme la neige sur la ville ?

Elle n'a rien dit à personne, ni au bureau, ni à la maison. À ses enfants, elle a expliqué qu'elle devait subir « *une intervention* », « *sans gravité* » a-t-elle ajouté, pour ne pas les inquiéter. Elle s'est arrangée pour que les jumeaux soient chez leur père cette semaine-là, et Hannah chez le sien – celle-ci a protesté, mais s'est finalement pliée à sa volonté. Sarah a précisé qu'ils ne pourraient lui rendre visite à l'hôpital, prétendant que les enfants n'y étaient pas admis. Un tout petit mensonge, s'est-elle dit, pour adoucir le pincement au cœur qu'elle a ressenti. Elle veut les préserver de cet endroit, cet enfer blanc aux odeurs âcres – plus que le reste, ce sont les odeurs qui l'indisposent à l'hôpital, ce mélange de désinfectant et de javel qui lui noue l'estomac. Elle ne veut pas que ses petits la voient ainsi, vulnérable, affaiblie.

Hannah, en particulier, est si sensible. Elle vibre comme une feuille au moindre souffle d'air. Sarah a décelé ça très tôt chez sa fille, cette propension à l'empathie. Elle entre en résonance avec la souffrance du monde, qu'elle prend à son compte et fait sienne. C'est comme un don, un sixième sens. Enfant, elle se mettait à pleurer lorsqu'elle voyait un autre se blesser, être grondé. Elle pleurait devant les reportages à la télévision, devant les dessins animés. Sarah s'inquiète parfois : que fera-t-elle de cela, cette sensibilité exacerbée qui l'expose aux plus grandes joies comme aux plus grands tourments ? Elle voudrait tant lui dire : protège-toi, blinde-toi, le monde est dur, la vie est cruelle, ne te laisse pas toucher, pas abîmer, sois comme eux égoïste, insensible, imperturbable.

Sois comme moi.

Elle sait néanmoins que sa fille est une âme vibrante, qu'il faudra composer avec ça. Alors non, elle ne peut pas lui dire. À douze ans, Hannah comprendrait trop ce que le mot cancer implique. Elle devinerait surtout que la bataille n'est pas gagnée d'avance. Sarah ne veut pas lui faire porter ce poids, cette angoisse, qui vont de pair avec la maladie.

Bien sûr, elle ne pourra pas mentir éternellement. Ses enfants finiront par poser des questions. Il faudra alors parler, leur expliquer. Le plus tard sera le mieux, pense Sarah. C'est peut-être reculer pour mieux sauter, qu'importe. C'est sa façon à elle de gérer.

À son père et son frère non plus, elle ne dit rien. Il y a vingt ans, sa mère est décédée de la même maladie. Elle ne veut pas leur imposer à nouveau ce parcours du combattant, ces montagnes russes émotionnelles, espoir, désespoir, rémission, récidive, elle sait trop bien ce que ces mots signifient. Elle va se battre seule, et en silence. Elle se croit assez forte pour ça.

Au cabinet, personne n'a rien remarqué. Inès l'a juste trouvée fatiguée – vous êtes pâle, a-t-elle dit lorsque Sarah est rentrée de congé. Par chance, on est en hiver, les corps sont cachés, recouverts de chemises, de pulls, de manteaux. Sarah prend soin de ne pas porter de décolleté, se maquille un peu plus qu'avant, et le tour est joué. Elle a mis au point un ingénieux système de code dans son agenda : il y a un sigle pour les séances à l'hôpital (RDV H), un autre pour les examens, prélèvements et radios, qu'elle place toujours entre midi et deux (Déjeuner R), et ainsi de suite. Ses collaborateurs vont finir par croire qu'elle a un amant. À dire vrai, cette pensée lui plaît. Elle se prend parfois à imaginer qu'elle va retrouver un homme à l'heure du déjeuner… Un homme solitaire, dans une ville au bord de la mer… Ce serait si doux… Ses rêveries s'arrêtent là, la ramènent inexorablement à l'hôpital, aux soins, aux examens. Dans l'équipe des juniors, les discussions vont bon train : *elle est encore sortie aujourd'hui… hier une partie de l'après-midi… elle coupe son portable, oui…* Sarah Cohen aurait donc une vie, en dehors de ce cabinet ?… Qui est celui qu'elle retrouve à midi, le matin, parfois l'après-midi ?… Est-ce un collègue ? Un associé ? Inès penche pour un homme marié, un autre émet l'idée que c'est une femme. Pourquoi tant de précautions, sinon ? Imperturbable, Sarah continue ses allées et venues. Son plan semble fonctionner.

En tout cas pour l'instant.

C'est un détail qui va la perdre, comme souvent dans les histoires de crime, un détail confond le meurtrier. La mère d'Inès est malade. Sarah aurait dû le savoir. À bien y réfléchir, l'information lui a été communiquée, il y a longtemps, l'année passée. Sarah s'était dite navrée, et puis elle n'y avait plus pensé, la donnée s'était perdue dans les limbes de son cerveau débordé. Qui pourrait l'en blâmer, elle a tant à penser. Si elle avait pris le temps de s'arrêter à la machine à café, de rôder dans les couloirs, ou de s'asseoir pour déjeuner – ce qu'elle ne fait jamais –, l'information lui serait revenue. Mais voilà, ses échanges avec les autres se limitent à l'essentiel, au strictement professionnel. Ce n'est ni du mépris, ni de l'hostilité, plutôt un manque de temps, et de disponibilité. Sarah ne livre rien de sa sphère privée, et ne s'immisce pas dans celle des autres. À chacun son jardin secret. Dans un autre contexte, une autre vie, elle aurait pu tisser des liens avec ses collègues, peut-être même s'en faire des amis. Mais dans celle-ci, il n'y a pas d'espace autre que celui du travail. Avec ses collaborateurs, Sarah se montre toujours courtoise ; familière, elle ne l'est jamais.

Inès est à son image. Elle ne se livre pas, ne s'épanche pas sur sa vie. C'est une qualité que Sarah apprécie. En elle, elle semble retrouver la jeune avocate qu'elle était jadis. C'est elle qui l'a choisie lors des entretiens d'embauche des collaborateurs juniors. Inès s'est révélée précise, travailleuse, d'une grande efficacité. Elle est la plus brillante de son groupe. Elle ira loin, Sarah le lui a dit un jour, *si elle sait s'en donner les moyens.*

Dans ces conditions, comment aurait-elle pu savoir qu'Inès emmènerait sa mère, précisément ce jour-là, passer un examen à l'hôpital ?

Sur la page de son agenda, Sarah a noté « RDV H ». H n'est ni un Homme, ni Henry du service comptabilité, ni même Herbert, le jeune et beau collaborateur de l'équipe d'à côté, qui ressemble tant à ce célèbre acteur américain. Non, H est simplement le docteur Haddad, l'oncologue de Sarah, qui hélas n'a rien d'hollywoodien.

Lorsque Inès a demandé, la semaine précédente, à prendre exceptionnellement sa journée, Sarah a acquiescé. Elle a noté l'information, mentalement, et puis l'a oubliée – depuis quelque temps, certaines choses lui échappent, son état de fatigue avancé en est sûrement la cause.

Dans un instant, elles vont se croiser dans la salle d'attente du service d'oncologie de l'hôpital universitaire. Une même expression de surprise se lira sur leurs visages. Sarah restera sans voix. Pour se donner une contenance, Inès lui présentera sa mère.

Voici Sarah Cohen, l'associée avec laquelle je travaille.

Enchantée, madame.

Sarah sera polie, ne laissera rien paraître de son trouble. Il ne faudra pas longtemps à Inès pour comprendre ce que sa boss fait là, en plein milieu d'après-midi, par un jour de semaine, dans ce couloir du service d'oncologie, des radios sous le bras. En un instant, tout s'écroulera : la liaison, l'homme marié, les déjeuners galants, les rendez-vous secrets, les cinq à sept coquins. Sarah sera démasquée.

Dans une tentative un peu vaine pour sauver la face, elle prétend qu'elle s'est trompée de salle, est venue voir une amie… Elle sait qu'Inès n'est pas dupe. Celle-ci va vite reconstituer le puzzle : son absence de quinze jours le mois précédent, qui a surpris tout le monde, les rendez-vous extérieurs qu'elle enchaîne depuis peu, son teint, sa maigreur, son malaise au tribunal, autant d'indices qui prennent des allures de preuves, de pièces à conviction.

Sarah voudrait disparaître, se désintégrer, s'envoler comme ces super-héros aux pouvoirs prodigieux dont les jumeaux raffolent. Trop tard.

Elle se sent idiote, soudain, de trembler devant une collaboratrice junior, comme si elle était prise en faute. Elle a un cancer, ce n'est pas un crime. Et puis elle n'a pas à se justifier auprès d'Inès, elle ne lui doit rien, ni à elle, ni à personne.

Pressée de rompre le silence inconfortable qui s'est installé, Sarah salue la jeune femme et sa mère, et s'éloigne d'un pas se voulant assuré. Tandis qu'elle regagne son taxi, une question la taraude : que fera Inès de cette information ? Va-t-elle la divulguer ? Sarah est tentée de rebrousser chemin, de la rattraper dans les couloirs, la supplier de ne rien dire. Elle s'en défend pourtant. Ce serait admettre qu'elle est vulnérable, donner à Inès du pouvoir, un ascendant sur elle.

Elle adopte une tout autre stratégie : demain, en arrivant au bureau, elle va convoquer Inès, et lui proposer de la seconder dans l'affaire Bilgouvar, le dossier chaud du moment, pour le client le plus important du cabinet. Une promotion, assurément, une offre inespérée que la jeune collaboratrice ne pourra refuser. Elle en sera flattée, redevable envers Sarah. Mieux que cela : elle en deviendra dépendante. Une habile façon d'acheter son silence, se dit-elle, de s'assurer sa loyauté. Inès est ambitieuse, elle comprendra qu'elle n'a pas intérêt à parler, à s'attirer les foudres de son associée.

Sarah quitte l'hôpital, rassurée par le plan qu'elle vient d'élaborer. Il est presque parfait.

Elle n'oublie qu'une chose, pourtant apprise durant ses années de métier : lorsqu'on nage parmi les requins, mieux vaut ne pas saigner.

*Mon ouvrage avance, lentement*
*Comme une forêt qui pousse en silence.*
*C'est une tâche exigeante que la mienne,*
*Une tâche que rien ne doit venir troubler.*

*Je ne me sens pas seule, pourtant,*
*Enfermée dans mon atelier.*

*Je laisse parfois mes doigts à leur étrange ballet,*
*Et je songe à ces vies que je ne vivrai pas*
*À ces voyages que je n'ai jamais faits*
*À ces visages que je n'ai pas croisés.*

*Je ne suis qu'un maillon de la chaîne,*
*Un maillon dérisoire, mais qu'importe,*
*Il me semble que ma vie est là,*
*Dans ces trois fils tendus devant moi,*
*Dans ces cheveux qui dansent*
*Tout au bout de mes doigts.*

## Smita

*Village de Badlapur, Uttar Pradesh, Inde.*

Nagarajan s'est endormi. Allongée près de lui, Smita retient son souffle. La première heure de son sommeil est toujours agitée ; elle sait qu'elle doit attendre si elle ne veut pas l'éveiller.

Elle part cette nuit. Elle l'a décidé. Ou plutôt, la vie l'a décidé pour elle. Elle ne pensait pas mettre son projet si vite à exécution, mais l'occasion s'est présentée, comme un cadeau du ciel : souffrant d'un abcès à une dent, la femme du Brahmane a dû s'absenter pour aller consulter le médecin du village, le matin même. Smita était en train de vider le trou pestilentiel qui leur sert de latrines, lorsqu'elle l'a vue quitter la maison. Elle n'a eu que quelques secondes pour prendre sa décision : une telle opportunité ne se représenterait pas. Avec prudence, elle s'est glissée dans l'office près de la cuisine, a soulevé la jarre contenant les réserves de riz, sous laquelle le couple range ses économies. Ce n'est pas du vol, s'est-elle dit, juste un retour de ce qui m'est dû – un retour juste. Elle n'a prélevé que la somme exacte concédée au Brahmane, pas une roupie de plus. L'idée de dérober ne serait-ce qu'une pièce à quelqu'un, si riche soit-il, va à l'encontre de tous ses principes, car alors Vishnou se montrerait furieux. Smita n'est pas une voleuse, elle préférerait mourir de faim que dérober un œuf.

Elle a glissé l'argent sous son sari, et s'est hâtée de rentrer chez elle. Fébrilement, elle a réuni quelques affaires – le strict minimum, il ne faut pas trop emporter. Lalita et elle sont frêles, elles ne doivent pas se charger. Quelques vêtements et des vivres, du riz et des *papadums*[1] pour le voyage, préparés à la hâte pendant que Nagarajan était aux champs. Smita sait qu'il ne les laissera pas partir. Ils n'ont pas reparlé de son projet, mais elle connaît sa position. Elle n'a d'autre choix que d'attendre la nuit pour mettre son plan à exécution, en priant pour que la femme du Brahmane ne remarque rien d'ici là. À l'instant où elle s'apercevra de la disparition de l'argent, la vie de Smita sera menacée.

Elle s'agenouille devant le petit autel consacré à Vishnou, et prie pour implorer sa protection.

1. Galettes indiennes à base de farine de haricots, frites.

Elle lui demande de veiller sur elle et sa fille pendant leur long voyage, ces deux mille kilomètres qu'elles vont parcourir à pied, en bus, en train, jusqu'à Chennai. Un voyage épuisant, dangereux, à l'issue incertaine. Smita sent un courant chaud la traverser, comme si soudain elle n'était plus seule, comme si des millions d'Intouchables étaient agenouillés là, devant le petit autel, et priaient avec elle. Elle fait alors à Vishnou une promesse : si elles réussissent à s'échapper, si la femme du Brahmane ne remarque rien, si les Jatts ne les rattrapent pas, si elles arrivent jusqu'à Varanasi, si elles montent dans un train, si enfin elles parviennent dans le Sud, là-bas, en vie, alors elles iront lui rendre hommage au temple de Tirupati. Smita a entendu parler de ce lieu mythique, sur la montagne de Tirumala, à moins de deux cents kilomètres de Chennai, comme du plus grand lieu de pèlerinage au monde. On dit qu'ils sont des millions chaque année, à venir faire des offrandes à Shri Venkateswara, le Seigneur de la Montagne, une forme très vénérée de Vishnou. Son Dieu, ce dieu protecteur, ne les abandonnera pas, elle le sait. Elle saisit la petite image cornée devant laquelle elle prie, une représentation colorée du dieu à quatre bras, et la glisse contre elle, sous son sari. Ainsi accompagnée, elle ne risque plus rien. Soudain, c'est comme si un manteau invisible descendait sur ses épaules et l'enveloppait, pour la protéger du danger. Ainsi drapée, Smita est invincible.

Le village est maintenant plongé dans l'obscurité. Le souffle de Nagarajan est devenu régulier, ses narines laissent échapper un léger ronflement. Ce n'est pas un borborygme agressif, plutôt un ronronnement doux, semblable à celui d'un bébé tigre, lové contre le ventre de sa mère. Smita sent son cœur se serrer. Elle a aimé cet homme, s'est habituée à sa présence rassurante auprès d'elle. Elle lui en veut de son manque de courage, de ce fatalisme amer dont il a recouvert leur vie. Elle aurait tant voulu partir avec lui. Elle a cessé de l'aimer à l'instant où il a refusé de se battre. L'amour est volatil, se dit-elle, il s'en va comme il vient, parfois, d'un coup d'ailes.

Alors qu'elle repousse la couverture, elle est prise de vertige. N'est-il pas insensé d'entreprendre ce voyage ? Si seulement elle n'était pas si révoltée, si indocile, si seulement ce papillon ne battait pas dans son ventre, elle pourrait alors renoncer, accepter son sort, comme Nagarajan et leurs frères Dalits. Se recoucher et attendre l'aube, dans une torpeur sans rêves, comme on attend la mort.

Mais elle ne peut plus reculer. Elle a pris l'argent sous la jarre du Brahmane, impossible de revenir en arrière. Il faut se lancer, à corps perdu, dans ce voyage qui la mènera loin – ou peut-être nulle part. Ce n'est pas la mort qui l'effraye, ni même la souffrance – pour elle-même, elle ne craint rien, ou si peu. Pour Lalita, en revanche, elle redoute tout.

Ma fille est forte, se répète-t-elle pour se rassurer. Elle l'a su dès le jour de sa naissance. Alors que l'accoucheur du village l'examinait, après la délivrance, l'enfant l'avait mordu. Il s'en était amusé – la petite bouche sans dents n'avait laissé qu'une trace infime sur sa main. Elle aura du caractère, avait-il dit néanmoins. Cette petite Dalit de six ans, à peine plus haute qu'un tabouret, a dit non au Brahmane. Au milieu de la classe, elle l'a regardé dans les yeux, et lui a dit non. Pas besoin d'être bien née pour avoir du courage. Cette pensée donne de la force à Smita. Non, elle n'abandonnera pas Lalita à la fange, elle ne la livrera pas à ce *darma* maudit.

Elle s'approche de sa fille endormie. Le sommeil des enfants est un miracle, songe-t-elle. Celui de Lalita est si paisible qu'elle se sent coupable d'en arrêter le cours. Ses traits sont détendus, harmonieux, adorables. Lorsqu'elle dort, elle paraît plus jeune, un bébé presque, encore. Smita voudrait n'avoir jamais à faire cela, réveiller sa fille en pleine nuit, pour fuir. L'enfant ne sait rien des desseins de sa mère ; elle ignore que ce soir, elle a vu son père pour la dernière fois. Smita l'envie de cette innocence. La fuite dans le sommeil, elle l'a perdue depuis longtemps. Ses nuits ne lui offrent plus rien qu'un abîme sans fond, des rêves aussi noirs que la fange qu'elle nettoie. Peut-être en sera-t-il autrement, là-bas ?

Lalita dort serrée contre son unique poupée, un jouet reçu pour ses cinq ans : une petite « Reine des Bandits » coiffée d'un foulard rouge, à l'effigie de Phoolan Devi. Smita lui raconte souvent l'histoire de cette femme de basse caste, mariée à l'âge de onze ans, célèbre pour s'être rebellée contre son sort. À la tête d'une bande de *dacoïts*, elle défendait les opprimés, attaquait les propriétaires aisés qui violaient les filles de castes inférieures sur leurs terres. Prenant aux riches pour donner aux pauvres, elle était l'héroïne du peuple, considérée par certains comme un avatar de Dourgâ, la déesse de la guerre. Accusée de quarante-huit crimes, elle fut arrêtée, emprisonnée, puis libérée et élue députée au parlement, avant d'être assassinée en pleine rue par trois hommes masqués. Cette poupée, Lalita l'adore, comme toutes les petites filles ici. On la trouve un peu partout sur les marchés.

Lalita.
Réveille-toi.
Viens !

L'enfant sort d'un rêve qui n'appartient qu'à elle. Elle jette à sa mère un regard embué de sommeil.

Ne fais pas de bruit.
Habille-toi.
Vite.

Smita l'aide à se préparer. La fillette se laisse faire, en la fixant d'un air inquiet : que lui prend-il, en pleine nuit ?

C'est une surprise, souffle Smita.

Elle n'a pas le courage de lui dire qu'elles partent, et ne reviendront pas. C'est un billet sans retour, un aller simple pour une vie meilleure. Plus jamais l'enfer du petit village de Badlapur, Smita se l'est promis. Lalita ne comprendrait pas, elle pleurerait sans doute, résisterait peut-être. Smita ne peut prendre le risque d'anéantir son projet. Alors elle ment. Ce n'est qu'un tout petit mensonge, se dit-elle pour s'en consoler, un simple enjolivement de la réalité.

Avant de partir, elle jette un dernier regard à Nagarajan ; son tigre est paisiblement endormi. Près de lui, à sa place laissée vide, elle a posé un morceau de papier. Ce n'est pas une lettre – elle ne sait pas écrire. Elle a simplement recopié l'adresse de ses cousins à Chennai. Leur départ donnera peut-être à Nagarajan le courage qui lui manque aujourd'hui.

Peut-être trouvera-t-il la force de les rejoindre là-bas. Qui sait.

Après un dernier regard à la cahute, à cette vie qu'elle quitte sans regret – ou si peu –, Smita prend la main glacée de sa fille, et s'élance dans la campagne obscure.

## Giulia

*Palerme, Sicile.*

Giulia s'attendait à tout sauf à ça.

Le contenu du tiroir est là, étalé devant elle, dans le bureau du *papa* : des lettres d'huissiers, des injonctions de payer, des courriers recommandés à n'en plus finir. La vérité la frappe comme une gifle. Elle tient en un mot : faillite. L'atelier croule sous les dettes. La maison Lanfredi est ruinée.

Le père n'en a jamais rien dit. À personne, il ne s'est confié. À bien y repenser, il a une fois, une seule fois, laissé entendre au détour d'une conversation que la tradition de la *cascatura* se perdait. Pris dans les affres de la vie moderne, les Siliciens ne gardaient plus leurs cheveux, avait-il dit. C'était un fait, on ne gardait plus rien aujourd'hui ; ce qui était usé, on le jetait et on rachetait du neuf. Giulia se souvient de cette discussion, lors d'un repas de famille autour d'une grande tablée : bientôt, avait-il confié, la matière première viendra à manquer. Dans les années soixante, l'atelier Lanfredi comptait quinze concurrents à Palerme. Ils avaient tous fermé. Il s'enorgueillissait d'être le dernier. Giulia savait que l'atelier connaissait des difficultés, mais était loin d'imaginer sa faillite proche. Dans son esprit, ce n'était même pas une éventualité.

Il faut pourtant se rendre à l'évidence. D'après les comptes, il reste un mois de travail, tout au plus. Sans cheveux, les ouvrières vont se retrouver au chômage technique. L'atelier ne pourra plus les payer. Il faudra déposer le bilan, et fermer.

Cette pensée anéantit Giulia. Depuis des décennies, sa famille entière vit des revenus de l'atelier. Elle songe à sa mère, trop âgée pour travailler, à Adela encore au lycée. Sa sœur aînée Francesca est femme au foyer, elle a épousé un panier percé qui dilapide son salaire au jeu – il n'est pas rare que le *papa* renfloue leurs comptes en fin de mois. Que vont-ils devenir ? La maison familiale est hypothéquée, tous leurs biens vont être saisis. Quant aux ouvrières, elles vont se retrouver sans emploi. Le secteur est ultra-spécialisé, il n'existe plus d'atelier comme le leur en Sicile, susceptible de les réengager. Que vont-elles faire, ces femmes qui sont ses sœurs, avec qui elle a tant partagé ?

Elle songe alors au *papa*, là-bas à l'hôpital, dans le coma. Soudain, elle se fige. Une terrible image lui traverse l'esprit : son père sur la Vespa, ce matin-là, partant pour sa tournée, son père, acculé, désespéré, roulant vite, de plus en plus vite, sur la route escarpée… Elle chasse cette maudite pensée. Non, il n'aurait pas fait ça, il ne les aurait pas laissées, sa femme, ses filles, ses employées, ruinées, abandonnées… Pietro Lanfredi a un sens élevé de l'honneur, il n'est pas du genre à se défiler devant le malheur. Giulia sait pourtant que sa fierté, sa réussite, la quintessence de sa vie, c'est ce petit atelier de Palerme que son père tenait avant lui, et que son grand-père a fondé. Aurait-il supporté de voir ses ouvrières licenciées, son entreprise liquidée, le travail de sa vie parti en fumée ?… Il est cruel, le doute qui s'insinue en elle à cet instant, comme la gangrène sur un membre blessé.

Le bateau est en train de couler, se dit Giulia. Tous sont à bord, elle-même, la *mamma,* ses sœurs, leurs employées. C'est le *Costa Concordia*, le capitaine est parti, la noyade est assurée. Il n'y a pas de canot, pas de bouée, rien à quoi se raccrocher.

Le bavardage de ses collègues dans la salle principale la tire de ses pensées. Comme tous les matins, elles sont en train de s'installer en parlant de tout et de rien. Un instant, Giulia envie leur légèreté – elles ne savent pas encore ce qui les attend. Elle referme le tiroir comme on referme un cercueil, lentement, et donne un tour de clé. Elle n'a pas le cœur à leur parler aujourd'hui, pas plus qu'à leur mentir. Elle ne peut pas se mettre au travail à leurs côtés, comme si de rien n'était. Alors elle monte se réfugier là-haut, sur le toit, dans le *laboratorio*. Elle s'assoit face à la mer, comme le faisait son père. Il pouvait passer des heures ainsi, à la contempler. Il disait qu'elle était un spectacle dont il ne se lasserait jamais. Giulia est seule à présent, et la mer se moque bien de son chagrin.

À midi, elle rejoint Kamal dans la grotte où ils ont l'habitude de se retrouver. Elle ne parle pas de ses tourments. Noyer son chagrin dans le grain de sa chair, voilà ce qu'elle attend. Ils font l'amour, et le monde, un instant, lui paraît moins cruel. Kamal ne dit rien lorsqu'il la voit pleurer. Il l'embrasse, et leurs baisers ont un goût d'eau salée.

Le soir, Giulia regagne la maison familiale. Prétextant une migraine, elle monte s'enfermer dans sa chambre et s'enfouit sous les draps.

Cette nuit-là, son sommeil est peuplé d'étranges visions : l'atelier de son père démembré, la maison vidée, vendue, sa mère hagarde, les ouvrières à la rue, les mèches de la *cascatura* dispersées, jetées dans la mer, une mer entière de cheveux, déchaînée… Giulia se tourne et se retourne, elle ne veut plus y penser, mais les images reviennent, inlassablement, comme un rêve obsédant dont elle ne parvient pas à se libérer, un disque infernal lui imposant sa musique macabre. L'aube la délivre enfin de ses tourments. Elle se lève avec l'impression de n'avoir pas dormi, nauséeuse, la tête dans un étau. Elle a les pieds glacés, ses tympans bourdonnent.

Elle titube jusqu'à la salle de bains. Une douche chaude ou glacée va la sortir de ce cauchemar, espère-t-elle, réveiller son corps épuisé. Elle s'avance vers la baignoire, et s'arrête.

Il y a une araignée, tout au fond.

C'est une petite araignée, avec un corps fin et des pattes graciles, comme autant de points de dentelle. Elle a dû remonter le long des canalisations et s'est retrouvée là, piégée dans la fonte émaillée, cette immensité blanche qui n'offre pas d'issue. Dans les premiers temps, elle a dû lutter, tenter de remonter les parois glacées, mais ses pattes fines ont glissé, l'ont ramenée au fond du bac. Elle a fini par comprendre que la lutte était vaine, et attend maintenant son sort, immobile, une autre issue. Laquelle ?

Alors Giulia se met à pleurer. Ce n'est pas tant la vue de l'arachnide noir sur l'émail blanc qui la bouleverse – elle a pourtant ce genre de bêtes en horreur, elles provoquent chez elle une répulsion immédiate, une panique incontrôlée – mais plutôt la certitude qu'elle est, comme elle, prisonnière d'un piège dont elle ne sortira pas, dont personne ne viendra la délivrer.

Elle est tentée de regagner son lit et s'y enfouir, pour n'en plus sortir. Disparaître, c'est une perspective douce, presque attrayante. Elle ne sait que faire de tout ce chagrin, cette vague immense qui la submerge. Un jour, enfant, elle avait failli se noyer, lors d'une baignade en famille à San Vito Lo Capo. La mer, d'habitude si calme à cet endroit, était étrangement agitée. Une vague plus forte que les autres l'avait fauchée, pendant quelques secondes elle avait été coupée du monde, roulée dans l'écume. Sa bouche s'était emplie de sable, elle s'en souvient encore, de minuscules gravillons mêlés à des cailloux. L'espace d'un instant, elle n'avait plus su où était le ciel ni le sol, les contours du réel s'étaient effacés. La force du courant l'avait attirée vers le fond, aussi sûrement que si quelqu'un avait saisi son pied. Dans cet état de demi-conscience qui accompagne les chutes et les accidents, ces instants où la réalité va plus vite que la pensée, elle avait cru qu'elle ne remonterait pas. Que c'en était fini pour elle. Elle s'était presque résignée. La main de son père l'avait alors agrippée, tirée vers la surface. Elle était revenue à elle, surprise, choquée. Vivante.

Cette vague-là, hélas, ne la verra pas remonter.

Le sort s'acharne sur les Lanfredi, songe Giulia, tel ce séisme qui a fait trembler plusieurs fois le cœur de l'Italie, au même endroit.

L'accident de son père les a durement ébranlés. La mort de l'atelier va les achever.

## Sarah

*Montréal, Canada.*

Sarah le sent : au cabinet, quelque chose a changé. C'est indéfinissable, ténu, quasi imperceptible, mais c'est là.

C'est d'abord un regard, une inflexion de la voix quand on la salue, une façon un peu trop appuyée de prendre de ses nouvelles, ou au contraire, de ne rien demander. C'est ensuite un ton, un peu gêné, une manière de la regarder. Certains ont le sourire forcé. D'autres sont fuyants. Aucun n'est naturel.

Au début, Sarah se demande quelle mouche les a piqués. Y a-t-il quoi que ce soit d'inconvenant dans sa tenue, un détail qu'elle aurait négligé ? Elle est pourtant tirée à quatre épingles, comme toujours. Elle se souvient, lorsqu'elle était enfant, de cette maîtresse d'école, arrivée un jour tenant un sac-poubelle. Elle l'avait posé sur le bureau d'un geste naturel, avant de réaliser qu'elle venait de jeter son sac à main aux ordures, en partant de chez elle. Elle avait ainsi voyagé jusqu'à l'école, sans rien remarquer. Bien sûr, les enfants s'étaient esclaffés.

Aujourd'hui pourtant, la mise de Sarah est parfaite – elle la détaille longuement dans le miroir des toilettes. À part ses traits fatigués, et cette maigreur qu'elle parvient à cacher, le mal est indécelable. Alors pourquoi cette réserve, inconnue d'elle auparavant, dans ses rapports avec les autres ? Une étrange distance s'est installée, insidieusement, depuis quelques jours, une distance qui n'est pas de son fait.

Il suffit d'un mot de sa secrétaire, un mot seulement. Sarah comprend.

*Je suis désolée,* lui dit-elle tout bas, avec un regard navré. L'espace d'un instant, un instant seulement, Sarah se demande de quoi elle parle ; y a-t-il eu une catastrophe, un attentat, dont elle n'ait été alertée ? Une tempête imprévue, un accident, un décès ? Elle ne met pas longtemps à réaliser qu'il s'agit d'elle-même. Oui, c'est bien elle, la victime, la blessée, l'endeuillée.

Sarah reste bouche bée.

Si la secrétaire sait, tout le monde est au courant.

Inès a parlé. Elle a rompu leur pacte, du jour au lendemain, sans prévenir. Elle a révélé son secret.

La nouvelle s'est répandue dans le cabinet comme une étincelle sur de la poudre, elle a longé les couloirs, envahi les bureaux, s'est diffusée dans les salles de réunion, à la cafétéria, jusqu'à parvenir au dernier étage, tout en haut de la hiérarchie, auprès de Johnson.

Inès en qui Sarah croyait, Inès qu'elle a elle-même choisie, recrutée, Inès qui lui sourit tous les matins, avec qui elle partage ses dossiers, Inès qu'elle a prise sous son aile, Inès, oui, Inès vient de la poignarder, de la façon la plus abjecte qui soit.

Tu quoque, mi fili.

Elle a confié leur secret à la personne la plus susceptible de le divulguer : Gary Curst, le plus jaloux, le plus ambitieux, le plus misogyne des associés, qui voue à Sarah une haine farouche depuis son arrivée. Elle a agi *dans l'intérêt du cabinet*, se défendra la traîtresse d'un air faussement navré, avant d'ajouter : *je suis désolée*. Sarah ne croit pas une seconde à ses regrets. Elle aurait dû se méfier. Inès est fine, elle est *politique*, selon l'expression consacrée, un mot élégant pour dire : *fourbe*, pour dire : *qui va dans le sens des puissants*. Un mot qui signifie : *qui n'a pas peur des coups bas*. Inès ira loin, oui, Sarah l'avait dit un jour. *Si elle sait s'en donner les moyens*.

Elle est allée voir Curst, *par acquit de conscience,* pour lui confier que Sarah commet *des erreurs* dans le dossier qu'elles sont en train de gérer – le dossier Bilgouvar, aux enjeux financiers cruciaux pour l'avenir du cabinet. Ces *faux pas* ne sont en rien *condamnables*, bien sûr, *au vu de son état*.

Des *faux pas*, Sarah n'en a jamais fait. Certes, depuis le début du traitement, elle a plus de mal à se concentrer, son attention est moins soutenue, elle oublie parfois des détails, un nom, un terme dans une conversation, mais en aucun cas, cela n'affecte la qualité de son travail. Elle ne manque pas un rendez-vous, pas une réunion. Intérieurement, elle se sent diminuée, mais redouble d'efforts pour n'en rien montrer. *Des faux pas, des erreurs*, elle n'en a pas commis. Inès le sait.

Alors pourquoi ? Pourquoi donc la trahir ? Sarah le comprend trop tard, et cette pensée la glace : Inès veut sa place. Son statut d'associée. Les possibilités de promotion sont minces au cabinet, on ne laisse pas facilement les juniors monter en grade. Un associé affaibli, c'est une porte qui s'ouvre, une occasion à ne pas manquer.

Curst y trouve le même intérêt : il a toujours jalousé la relation de confiance qui lie Sarah à Johnson. Elle est sans doute la prochaine *Managing Partner* qu'il va nommer. À moins que quelque chose ne vienne freiner son ascension… Il s'y verrait bien, Gary Curst, dans ce fauteuil, tout en haut de la hiérarchie. Une maladie au long cours, une maladie vicieuse, pernicieuse, qui vous attaque, vous affaiblit, une maladie susceptible de partir et de revenir, c'est l'arme idéale pour abattre un ennemi. Curst n'aura même pas de sang sur les mains ; le crime est parfait. Comme aux échecs, un pion tombe, et tous avancent d'une case. Ce pion-là, c'est Sarah.

Il aura suffi d'un mot, un mot seulement dans une oreille malavisée. Le mal est fait.

C'est maintenant officiel, tout le monde le sait : Sarah Cohen est malade.

Malade, autant dire : vulnérable, fragile, susceptible de laisser tomber un dossier, de ne pas se donner à fond sur une affaire, de prendre un congé longue durée.

Malade, autant dire : pas fiable, sur qui on ne peut compter. Pire, qui peut vous claquer dans les doigts dans un mois, un an, qui sait ? Sarah l'entend un jour dans un couloir, cette phrase terrible, à peine chuchotée : oui, qui sait ?

Malade, c'est pire qu'enceinte. Au moins, on sait quand une grossesse finit. Un cancer, c'est pervers, ça peut récidiver. C'est là, comme une épée de Damoclès au-dessus de votre tête, un nuage noir qui vous suit partout.

Sarah le sait, un avocat se doit d'être brillant, performant, offensif. Il doit rassurer, convaincre, séduire. Dans un grand cabinet d'affaires comme *Johnson & Lockwood*, des millions sont en jeu. Elle imagine les questions que tous doivent se poser. Va-t-on pouvoir continuer à miser sur elle ? À lui confier des dossiers importants, des affaires qui prendront des années ? Sera-t-elle seulement là quand il faudra les plaider ?

Les nuits blanches, les week-ends de travail, sera-t-elle encore capable de les concéder ? En aura-t-elle seulement la force ?

Dans son bureau, là-haut, Johnson l'a convoquée. Il semble contrarié. Il aurait aimé qu'elle vienne lui parler, apprendre la nouvelle de sa bouche. Ils ont toujours eu une relation de confiance, pourquoi n'a-t-elle rien dit ? Sarah remarque pour la première fois que le ton de sa voix lui déplaît. Cet air condescendant, faussement paternaliste qu'il prend avec elle, et qu'à bien y réfléchir il a toujours pris, elle le vomit. Elle aimerait répondre qu'il s'agit de son corps, de sa santé, que rien ne l'oblige à l'en tenir informé. S'il lui reste encore un espace de liberté, c'est celui-là, celui de ne pas en parler. Elle pourrait lui dire d'aller se faire foutre, avec son air de fausse inquiétude, elle sait très bien ce qui le taraude : ce n'est ni de savoir comment elle va, ni comment elle se sent, ni même si elle sera encore là dans un an, non, tout ce qui l'intéresse, c'est de savoir si elle sera capable, oui, capable de traiter ses fichus dossiers comme avant. En un mot : d'être performante.

Bien sûr, Sarah ne dit rien de tout cela. Elle garde la tête froide. Avec aplomb, elle tente de rassurer Johnson : non, elle ne va pas prendre de congé longue durée. Elle ne va pas même s'absenter. Elle sera là, malade peut-être, mais là, elle assumera ses fonctions et suivra ses dossiers.

En s'écoutant parler, elle a soudain l'impression d'être à la barre d'un tribunal, lors d'un étrange procès qui vient de débuter : le sien. Comme devant un juge, elle cherche des arguments pour étayer sa défense. Mais quoi ?! Est-elle coupable de quelque chose ?! A-t-elle commis une faute ? De quoi doit-elle se justifier ?

En regagnant son bureau, elle tente de se convaincre que rien ne va changer. C'est peine perdue. Au fond d'elle-même, elle sait que Johnson a commencé à instruire son procès.

L'ennemi, songe-t-elle alors, n'est peut-être pas celui qu'elle croyait.

## Smita

*Uttar Pradesh, Inde.*

Smita fuit, la petite main de Lalita dans la sienne, à travers la campagne endormie. Elle n'a pas le temps de parler, d'expliquer à sa fille que ce moment, elle s'en souviendra toute sa vie comme de celui où elle a choisi, infléchi la ligne de leurs destins. Elles courent sans bruit, pour ne pas être vues ni entendues des Jatts. Lorsqu'ils se réveilleront, elles seront loin déjà, espère Smita. Il ne faut pas perdre une seconde.

Dépêche-toi !

Elles doivent rejoindre la grande route. Smita y a dissimulé son vélo, dans un buisson, près du fossé, ainsi qu'un maigre ballotin contenant des vivres. Elle prie pour que personne ne l'ait dérobé. Elles auront plusieurs kilomètres à parcourir, avant de rejoindre la National Highway 56, où elles prendront un bus pour Varanasi, l'un de ces fameux cars gouvernementaux verts et blancs, dans lesquels on peut monter pour quelques roupies. Le confort y est sommaire, la sécurité précaire – la nuit, les chauffeurs y sont shootés au *bhang*[1] –, mais le prix des tickets défie toute concurrence. Moins d'une centaine de kilomètres les séparent de la ville sacrée. De là, il faudra trouver la gare, et prendre un train pour Chennai.

L'aube pointe ses premiers rayons. Déjà sur la grande route, les camions se pressent dans un vacarme effrayant. Lalita tremble comme une feuille, Smita sent qu'elle a peur, la petite fille ne s'est jamais aventurée si loin du village. Au-delà de cette route, c'est l'inconnu, le monde, le danger.

Smita dégage les branches qui recouvrent son vélo : il est toujours là. Mais le ballotin qu'elle avait préparé gît, déchiqueté, un peu plus loin dans le fossé – un chien ou des rats affamés s'en sont emparés. Il n'en reste rien, ou si peu… Il va falloir continuer, le ventre vide. Il n'y a pas d'autre choix. Smita n'a pas le temps de trouver à manger maintenant. La femme du Brahmane, bientôt, soulèvera la jarre de riz avant de partir au marché. La soupçonnera-t-elle aussitôt ? Alertera-t-elle son mari ? Se lanceront-ils à sa recherche ? Nagarajan a dû, déjà, constater leur absence. Non, elles n'ont

---

1. Boisson préparée à base de cannabis, à l'effet euphorisant.

pas le temps de trouver à manger, il faut avancer. La bouteille d'eau est intacte – elles auront au moins ça, en guise de petit déjeuner.

Smita installe Lalita sur le porte-bagages et enfourche son vélo. La fillette passe les bras autour de ses hanches et s'accroche à elle comme un gecko apeuré – ces lézards verts qui abondent dans les habitations et qu'affectionnent les enfants. Smita ne veut pas lui montrer qu'elle tremble. Les *Tata Trucks*[1], nombreux sur la route pourtant étroite, les doublent dans un fracas assourdissant. Il n'existe aucune règle ici, le plus gros a la priorité. Smita frémit, se cramponne au guidon pour ne pas tomber – une chute serait assurément terrible. Encore quelques efforts, et elles rejoindront la NH56, qui relie Lucknow à Varanasi.

Elles sont maintenant assises au bord de la route. Smita passe un linge sur son visage et celui de sa fille. Elles sont couvertes de poussière. Deux heures qu'elles attendent le car. Passera-t-il seulement aujourd'hui ? Ici les horaires sont fluctuants, voire hypothétiques. Lorsque le véhicule paraît enfin, une foule nombreuse se presse vers ses portes. Le bus est déjà plein. Il est ardu d'y monter. Certains préfèrent grimper sur le toit, et voyageront à ciel ouvert, cramponnés aux barres latérales. Smita agrippe la

1. Camions de la marque indienne Tata Motors.

main de Lalita, parvient tant bien que mal à la hisser dans l'habitacle. Elle trouve une demi-place pour elles deux, tout au fond, sur la banquette arrière, cela suffira. Elle tente maintenant de se frayer un chemin en sens inverse, pour récupérer son vélo qu'elle a abandonné dehors. L'entreprise est périlleuse. Des dizaines de passagers se pressent dans l'allée, certains n'ont pas la place de s'asseoir, d'autres s'invectivent méchamment. Une femme a emporté des poules, ce qui provoque la colère d'un de ses voisins. Lalita se met à crier en pointant le vélo à travers la vitre : un homme est monté dessus et s'éloigne à grandes pédalées. Smita pâlit : s'élancer après lui, c'est risquer de voir le car partir sans elle. Le conducteur vient de mettre le contact, les moteurs vrombissent déjà. Elle doit se résoudre à regagner sa place, la mort dans l'âme, en regardant disparaître le morceau de ferraille usé qu'elle avait acheté jadis, et comptait revendre pour manger.

Le car se met en branle. Lalita colle son visage à la vitre arrière pour ne rien manquer du voyage. Elle s'anime soudain.

Papa !

Smita sursaute et se retourne : Nagarajan est apparu sur la route. Il s'est mis à courir en direction du car, qui vient de démarrer. Smita sent ses forces l'abandonner. Son mari court vers elles, le visage empreint d'une expression indéfinissable : du regret, du désarroi, de la tendresse ? de la colère ? Il est vite distancié par le bus, qui prend de la vitesse. Lalita se met à pleurer, tape contre la vitre, se tourne vers sa mère pour implorer son aide.

Maman, dis-leur d'arrêter !

Stopper le car est impossible, Smita le sait. Elle ne pourrait pas se frayer un chemin jusqu'au conducteur. Et quand elle y parviendrait, celui-ci refuserait de ralentir et s'arrêter – ou leur demanderait de descendre. De cela, elle ne peut prendre le risque. La silhouette de Nagarajan rapetisse, bientôt il ne sera plus qu'un point dérisoire derrière elles, pourtant il s'acharne et continue sa course vaine. Lalita sanglote. Son père finit par disparaître de leur champ de vision. Pour toujours, peut-être. L'enfant enfouit son visage dans le cou de sa mère.

Ne pleure pas.
Il nous rejoindra là-bas.

La voix de Smita se veut rassurante, comme si elle voulait elle-même se convaincre de cette hypothèse. Rien n'est moins sûr, pourtant. Elle se demande alors ce à quoi il faudra encore renoncer, avant d'arriver au bout du voyage. En consolant sa fille en larmes, elle touche l'image de Vishnou, sous son sari. Tout ira bien, se dit-elle, pour se rassurer. Leur route est jalonnée d'épreuves, mais Vishnou est là, tout près.

Lalita s'est endormie. Les larmes ont séché sur son visage, y traçant des sillons blanchâtres. Smita regarde le paysage défiler, à travers la vitre sale. Au bord de la route, des cahutes de fortune, des champs, une station-service, une école, des carcasses de camion, des chaises sous un arbre centenaire, un marché improvisé, des vendeurs assis par terre, un loueur de mobylettes dernier cri, un lac, des entrepôts, un temple en ruine, des panneaux publicitaires, des femmes en sari portant des paniers sur la tête, un tracteur. Elle se dit que l'Inde tout entière se trouve là, au bord de cette route, dans un chaos sans nom où se mêlent indifféremment l'ancien et le moderne, le pur et l'impur, le profane et le sacré.

Avec trois heures de retard – un camion embourbé a bloqué la circulation –, le car parvient enfin à la gare routière de Varanasi. Il vomit aussitôt son chargement d'hommes, femmes, enfants, valises, poules, et tout ce que les passagers sont parvenus à entasser au-dessus, en dessous et entre eux. On distingue même une chèvre, qu'un homme descend du toit sous les yeux ébahis de Lalita, qui se demande comment la biquette est arrivée là.

Sitôt débarquées, Smita et sa fille sont happées par l'énergie de la ville. Partout des bus, des voitures, des rickshaws, des camions remplis de pèlerins, se pressent en direction du Gange et du Temple d'Or. Varanasi est l'une des plus anciennes villes du monde. On y vient se purifier, se recueillir, se marier, mais aussi incinérer ses proches, et parfois y mourir. Sur les ghats, ces rives recouvertes de marches descendant jusqu'au *Ganga Mama* comme on l'appelle ici, se côtoient la mort et la vie, jour et nuit, dans un incessant ballet.

Lalita n'a jamais rien vu de semblable. Smita lui a souvent parlé de cette ville, comme d'un lieu de pèlerinage où ses parents l'avaient emmenée, enfant. Ils avaient accompli ensemble le Panchatirthi Yatra, périple consistant à se baigner à cinq endroits du fleuve sacré, dans un ordre précis. Ils avaient achevé leur visite par des bénédictions au Temple d'Or, comme le veut la coutume. Smita suivait ses parents et ses frères, elle se laissait guider. Elle avait retiré du voyage une impression forte, un souvenir tenace. Le ghat de Manikarnika, l'un de ceux consacrés à la crémation des morts, l'avait particulièrement marquée. Elle se souvient encore de l'embrasement du bûcher sur lequel on distinguait le corps d'une vieille femme. Selon la tradition, elle avait été lavée dans le Gange, puis séchée, avant d'être brûlée. Smita avait regardé avec effroi les premières flammes lécher le corps, puis l'engloutir voracement dans un crépitement infernal. Étrangement, les proches de la défunte ne semblaient pas tristes, ils paraissaient presque se réjouir du *moksha* de leur aïeule, sa libération. Certains parlaient, d'autres jouaient aux cartes, d'autres même riaient. Des Dalits vêtus de blanc travaillaient là en continu, jour et nuit – les crémations, tâche impure s'il en est, leur étaient naturellement réservées. Ils devaient aussi approvisionner les tonnes de bois nécessaires aux bûchers, qu'ils acheminaient en barque jusqu'aux ghats. Smita se souvient des montagnes de bûches immenses qui attendaient leur tour sur les flancs des quais. À quelques mètres de là, des vaches buvaient l'eau du fleuve, indifférentes aux scènes qui se jouaient sur ses rives. Un peu plus loin, des hommes, des femmes et des enfants se livraient aux ablutions rituelles – la tradition étant de se plonger dans le Gange de la tête aux pieds, pour s'y purifier. D'autres célébraient des cérémonies de mariage, enjouées et colorées, en entonnant des chants religieux ou profanes. Certains y faisaient leur vaisselle, ou même la lessive. Par endroits, l'eau était noire, on y trouvait aussi bien des fleurs flottant à sa surface, des lampes à huile, offrande des pèlerins, que des carcasses de bêtes en décomposition, voire des ossements humains – après les crémations, les cendres étaient rituellement dispersées dans le fleuve, mais de nombreuses familles n'ayant pas les moyens de s'offrir une incinération complète y jetaient les corps de leurs morts à demi calcinés, voire entiers.

Aujourd'hui, personne ne conduit Smita, elle n'a nulle main rassurante à laquelle s'accrocher, si ce n'est celle de sa fille, qui la suit. Elles sont seules au milieu de la foule anonyme des pèlerins, à chercher leur chemin. La gare ferroviaire se trouve au centre de la ville, loin de l'endroit où le car les a déposées.

Dans les rues, Lalita contemple, émerveillée, les devantures des magasins proposant des objets tous plus insolites les uns que les autres. Ici un aspirateur, là un presse-agrumes, là-bas encore une salle de bains, un lavabo, un modèle de toilettes. Lalita n'en a jamais vu. Smita soupire, elle voudrait avancer plus vite, mais la curiosité de l'enfant les ralentit. Elles croisent une procession d'écoliers en uniformes bruns, se tenant par la main. Smita surprend le regard de sa fille, envieuse, qui s'attarde sur eux.

Enfin, la gare de Varanasi-Cantt paraît. Sur son parvis se déploie une foule fervente – c'est l'une des gares les plus fréquentées du pays. À l'intérieur du hall, une marée humaine se presse en direction des guichets. Partout des hommes, des femmes, des enfants, debout, assis ou couchés, patientent des heures, parfois des jours durant.

Smita tente de se frayer un chemin en échappant aux rabatteurs. Profitant du désarroi ou de l'innocence des touristes, ils leur extorquent quelques roupies, en échange de conseils malavisés. Smita prend sa place dans l'une des quatre files d'attente

– elles comprennent chacune au moins cent personnes, il va falloir être patientes. Lalita montre des signes de fatigue, elles ont voyagé toute la journée, le ventre vide, pour faire à peine cent kilomètres. Le plus dur les attend encore, Smita le sait.

La nuit est tombée lorsqu'elle parvient enfin au guichet. L'employé des chemins de fer affiche un air surpris quand elle demande deux billets pour Chennai, le jour même. Les billets se réservent plusieurs jours à l'avance, répond-il, à la dernière minute les trains sont toujours complets. N'a-t-elle pas effectué de réservation ?… Smita sent ses forces l'abandonner à l'idée de passer la nuit ici, dans la ville sacrée, où elle ne connaît personne. Les pièces dérobées au Brahmane suffiront à peine à payer leurs billets de troisième classe, ainsi que de quoi manger, impossible de s'offrir une pension, ou même un dortoir. Smita insiste, elles doivent partir maintenant, au plus vite. Elle n'hésite pas à rajouter quelques pièces, mises de côté pour leur repas. L'employé la dévisage d'un air hésitant, maugrée quelque chose entre ses dents jaunies. Il disparaît, et revient avec deux tickets de « sleeper class », la classe la moins chère, dans le train du lendemain. Il ne peut pas faire mieux. Par la suite, Smita apprendra que ces tickets sont vendus à tous ceux qui le souhaitent – il n'existe pas de restriction sur le nombre de voyageurs par wagon dans cette classe, qui est, de fait, constamment surpeuplée.

L'employé a joué de sa crédulité pour lui soutirer quelques roupies, elle le comprendra trop tard.

Lalita, épuisée, s'est endormie dans ses bras. Lourdement, Smita se fraye un chemin à la recherche d'un endroit où s'asseoir. Partout, sur les quais, dans la gare, des gens s'apprêtent à passer la nuit. Ils s'installent, s'allongent, s'endorment – pour les plus chanceux. Smita s'assoit dans un coin, à même le sol, non loin d'une femme vêtue de blanc, entourée de deux jeunes enfants. Lalita vient de se réveiller. Elle a faim. Smita sort la bouteille d'eau, dont il ne reste qu'un fond, elle n'a rien d'autre pour ce soir. La fillette se met à pleurer.

Non loin, la femme en blanc est en train de donner des biscuits secs à ses enfants. Elle contemple Smita, la petite fille en larmes dans ses bras. Elle s'approche et leur propose de partager son repas. Smita lève les yeux vers elle, surprise ; elle n'a pas l'habitude qu'on lui vienne en aide, elle ne s'est jamais livrée à la mendicité. Malgré sa condition, elle a toujours vécu dignement. Pour elle-même, elle aurait sans doute refusé, mais Lalita est si frêle, si menue, elle ne tiendra pas le voyage sans manger. Smita saisit la banane et les biscuits tendus par la femme en blanc, et la remercie. Lalita se jette avidement sur la nourriture. Auprès d'un vendeur à la sauvette, la femme a acheté du thé au gingembre, dont elle propose quelques gorgées, que Smita accepte volontiers. Le thé brûlant au goût piquant-poivré la régénère. La femme – elle s'appelle Lackshmama – engage la conversation. Elle veut savoir où elles se rendent, ainsi, toutes deux. N'ont-elles pas un mari, un père ou un frère pour les accompagner ? Smita répond qu'elles vont à Chennai – son mari les attend là-bas, ment-elle. Lackshmama et ses jeunes fils sont en partance pour Vrindavan, une petite ville au sud de Delhi, connue comme la *ville des veuves blanches*. Elle confie avoir perdu son mari il y a quelques mois, décédé de la grippe. Après sa mort, elle a été rejetée par sa belle-famille chez qui elle vivait. Avec amertume, Lackshmama évoque le sort funeste des veuves ici. Maudites, elles sont considérées comme coupables de n'avoir su retenir l'âme de leur défunt mari. Elles sont parfois même accusées d'avoir provoqué, par sorcellerie, la maladie ou la mort de leur époux. Elles n'ont le droit de toucher aucune assurance s'il décède d'un accident, aucune pension s'il est tué à la guerre. Leur simple vue porte malheur, croiser ne serait-ce que leur ombre est un mauvais présage. Elles sont interdites dans les mariages et les fêtes, contraintes de se cacher, de porter le blanc du deuil, de faire pénitence. Elles sont souvent jetées à la rue par leur propre famille. Lackshmama évoque avec effroi la cruelle tradition du *Sati,* qui les condamnait jadis à s'immoler sur le bûcher funéraire de leur mari. Celles qui s'y refusaient étaient excommuniées, battues ou humiliées, parfois poussées de force dans les flammes par leur belle-famille, ou même leurs propres enfants, qui trouvaient ainsi le moyen d'échapper au partage de l'héritage. Avant d'être mises à la rue, les veuves sont condamnées à ôter leurs bijoux et à se raser le crâne, afin de ne plus exercer une quelconque attraction envers les hommes – il leur est interdit de se remarier, quel que soit leur âge. Dans les provinces où les filles sont mariées jeunes, certaines fillettes sont veuves à l'âge de cinq ans et, de fait, condamnées à une vie de mendicité.

« C'est ainsi, quand on n'a plus de mari, on n'a plus rien », soupire-t-elle. Smita le sait : une femme n'a pas de bien propre, tout appartient à son époux. En se mariant, elle lui donne tout. En le perdant, elle cesse d'exister. Lackshmama ne possède plus rien, à part un bijou qu'elle est parvenue à dissimuler sous son sari, offert par ses parents pour son mariage. Elle se souvient de ce jour faste où, ornée de riches parures, elle avait été conduite au temple par sa famille en liesse pour célébrer ses noces. Elle était entrée dans le mariage avec somptuosité ; elle en sortait dans un total dénuement. Elle aurait préféré que son mari l'abandonne, avoue-t-elle, ou la répudie, au moins la société ne l'aurait pas reléguée au rang de paria, peut-être ses proches auraient-ils montré quelque compassion, là où ils ne lui témoignaient que mépris et hostilité. Elle aurait préféré naître sous la forme d'une vache, ainsi elle aurait été respectée. Smita n'ose lui dire qu'elle a fait le choix de quitter son époux, d'abandonner son village et tout ce qu'elle connaissait. À cet instant, en écoutant Lackshmama, elle se demande si elle n'a pas commis une terrible erreur. La jeune veuve avoue avoir voulu se tuer, mais a finalement renoncé à cette perspective, redoutant que sa belle-famille n'assassine ses fils pour garder l'héritage, ce qui arrive parfois. Elle a préféré choisir l'exil à Vrindavan, avec eux. On dit qu'elles sont des milliers à trouver refuge là-bas, dans des ashrams caritatifs, les « maisons de veuves », ou encore dans la rue. En échange d'un bol de riz ou de soupe, elles chantent dans les temples des prières à Krishna, gagnant ainsi de quoi assurer leur maigre subsistance – un seul repas par jour, elles n'ont pas droit à plus.

Smita a écouté la veuve sans l'interrompre. Celle-ci est à peine plus âgée qu'elle. Lorsqu'elle lui demande son âge, Lackshmama répond qu'elle l'ignore – elle pense néanmoins n'avoir pas plus de trente ans. Ses traits sont encore jeunes, se dit Smita, ses yeux sont vifs, mais il se dégage d'eux une infinie tristesse, qu'on dirait millénaire.

L'heure est venue pour Lackshmama d'aller prendre son train. Smita la remercie pour le repas, promet d'adresser pour elle et ses enfants des prières à Vishnou. Elle la regarde s'éloigner vers le quai, son plus jeune fils dans les bras, tenant l'autre par la main, un maigre sac pour tout bagage. Tandis que sa silhouette s'évanouit dans la foule des passagers en partance, Smita touche l'image de Vishnou sous son sari, priant pour qu'il l'accompagne et la protège, dans son voyage et sa vie d'exil. Elle pense à ces millions de veuves qui partagent sa condition, abandonnées et démunies, oubliées dans ce pays qui décidément n'aime pas beaucoup les femmes, et se sent soudain reconnaissante d'être elle, Smita, née Dalit, certes, mais entière, debout, promise à une vie meilleure, peut-être.

*J'aurais préféré ne pas naître*, lui a confié Lackshmama avant de disparaître.

# Giulia

*Palerme, Sicile.*

Lorsque Giulia a annoncé à sa mère et ses sœurs que l'atelier était ruiné, Francesca s'est mise à pleurer. Adela n'a rien dit – elle manifeste envers toute chose cette indifférence propre aux adolescents, comme si elle n'était pas concernée. La *mamma* est restée silencieuse, avant de s'effondrer. Elle si pieuse d'ordinaire, si dévote, a accusé le ciel de s'acharner contre eux. D'abord son mari, maintenant leur atelier… Quel crime ont-ils commis, quel péché pour mériter ce châtiment ?! Que vont devenir ses enfants ? Adela est encore au lycée. Francesca est si mal mariée, elle peine à subvenir aux besoins de ses petits. Quant à Giulia, elle ne connaît que cela, le métier que son père lui a appris. Ce père qui n'est même pas là, aujourd'hui…

La *mamma* passe de longues heures à pleurer, cette nuit-là, sur son mari, sur ses filles, sur cette maison qu'on va leur enlever – sur elle-même, elle ne pleure jamais. Aux premiers rayons de l'aube, elle est prise d'une idée : Gino Battagliola est amoureux de Giulia depuis des années, il rêve de l'épouser. Ce n'est un secret pour personne. Sa famille a de l'argent, des salons de coiffure à travers le pays. Ses parents ont toujours témoigné une sincère amitié aux Lanfredi. Peut-être accepteraient-ils de racheter l'hypothèque de la maison familiale ?... Cela ne permettrait pas de sauver l'atelier, mais au moins de conserver un toit. Ses filles seraient à l'abri. Oui, ce mariage les sauverait, pense la *mamma*.

Lorsqu'elle fait part de cette idée à Giulia, celle-ci la rejette violemment. Elle ne sera jamais la femme de Gino Battagliola. Elle préfère encore dormir dans la rue ! L'homme n'est pas désagréable, elle n'a rien à lui reprocher, mais il est fade et sans saveur. Elle le voit souvent à l'atelier. Avec son allure dégingandée et son épi dans les cheveux, il ressemble à l'un des personnages un peu ridicules de cette comédie que son père aimait tant : *I Mostri* de Dino Risi.

C'est un bon parti, reprend la mère, Gino est gentil, et il a de l'argent ; Giulia ne manquerait de rien, assurément. De rien sauf de l'essentiel, répond-elle. Elle refuse de se soumettre, de s'enfermer dans une cage aux barreaux bien lustrés. Elle ne veut pas d'une vie de convenances et d'apparences. D'autres l'ont fait, dit la *mamma*, et Giulia sait qu'elle dit vrai.

Sa mère a été heureuse dans le mariage, alors qu'elle n'avait pas vraiment choisi son promis. Toujours fille à trente ans, elle avait fini par accepter la proposition de Pietro Lanfredi, qui la courtisait. L'amour était venu avec le temps. Malgré son tempérament colérique, le père de Giulia était un homme bon, qui avait su gagner ses sentiments. Il en serait peut-être ainsi pour elle, également.

Giulia monte s'enfermer dans sa chambre. Elle ne peut se résoudre à ce choix. La peau de Kamal est brûlante, elle ne veut rien d'autre que cela. Elle refuse de se glisser dans un lit froid, entre des draps glacés, comme l'héroïne de ce roman sarde qui l'a bouleversée, le *Mal di pietre* : désespérant d'aimer un jour l'homme qu'elle a épousé, elle erre dans les rues à la recherche de son amant perdu. Giulia ne veut pas d'une existence désincarnée. Elle se souvient des paroles de la *Nonna* : *Fais ce que tu veux, mia cara, mais surtout ne te marie pas.*

Quelle autre issue, pourtant ? Va-t-elle accepter que sa mère et ses sœurs se retrouvent à la rue ? La vie est cruelle, se dit-elle, de faire ainsi peser sur ses seules épaules le poids de sa famille entière.

Ce jour-là, elle n'a pas le courage d'aller retrouver Kamal qui l'attend. Sans trop savoir pourquoi, elle marche jusqu'à la petite église que son père aimait tant – elle tressaille, réalisant qu'elle commence à parler de lui au passé. Il est toujours vivant, se reprend-elle.

Elle qui ne prie jamais a besoin de se recueillir aujourd'hui. À cette heure de la journée, la chapelle est déserte. Il règne à l'intérieur une ambiance feutrée et silencieuse, qui donne l'impression d'être hors du monde, ou au contraire en son cœur. Est-ce la fraîcheur, l'odeur vague de l'encens, l'écho ténu des pas sur la pierre ? Giulia retient son souffle ; enfant, déjà, elle se sentait émue à l'entrée des églises, comme si elle pénétrait un territoire sacré, mystérieux, chargé de siècles d'âmes. Quelques bougies sont là, perpétuellement allumées, elle se demande qui trouve le temps d'entretenir, au milieu de l'agitation du monde, ces petites flammes éphémères.

Elle glisse une pièce dans la boîte réservée au denier de l'église, et saisit un cierge, qu'elle place sur le présentoir, près des autres. Elle l'allume et ferme les yeux. À voix basse, elle se met à prier. Elle demande au ciel de lui rendre son père, de lui donner la force d'accepter cette vie qu'elle n'a pas choisie. Il est lourd, le tribut à payer au malheur pour les Lanfredi, se dit-elle.

Il faudrait un miracle pour les tirer de là.

Mais les miracles, dans cette vie, n'existent pas. Giulia le sait. Ils arrivent dans la Bible, ou dans ces histoires qu'elle lisait enfant. Elle a cessé de croire aux contes de fées. L'accident de son père l'a projetée de plein fouet dans l'âge adulte. Elle n'y était pas préparée. Il était si doux de se prélasser dans la fin de l'adolescence, comme dans un bain chaud qu'on ne veut pas quitter. Il est venu, le temps de la maturité, et il est bien cruel. Le rêve est terminé.

Ce mariage est la seule solution. Giulia a tourné et retourné cent fois la question dans sa tête. Gino rachètera l'hypothèque qui pèse sur la maison. Si l'atelier est condamné, sa famille, au moins, sera sauvée. C'est ce que dit sa mère, et ce qu'aurait voulu le *papa*. Cet argument achève de convaincre Giulia.

Le soir même, elle écrit à Kamal. Sur le papier, les mots seront moins cruels, pense-t-elle. Dans sa lettre, elle lui explique pour l'atelier, pour la menace qui pèse sur sa famille. Elle lui dit qu'elle va se marier.

Après tout, ils ne se sont rien promis. Elle n'a jamais envisagé son avenir avec lui, n'a pas imaginé que cette relation puisse durer. Ils n'ont ni la même culture, ni le même dieu, ni les mêmes traditions. Pourtant, leurs peaux s'accordent si bien. Le corps de Kamal s'emboîte si parfaitement au sien. Près de lui, Giulia se sent plus vivante qu'elle ne l'a jamais été. Elle est troublée par ce désir violent qui la tenaille, la tient éveillée la nuit, la fait se lever, frissonnante, tous les matins, et retourner chaque jour près de lui. Cet homme qu'elle vient de rencontrer, dont elle ne sait rien, ou si peu, la trouble comme personne ne l'a jamais troublée.

Ce n'est pas de l'amour, se dit-elle en tentant de s'en persuader. C'est autre chose. Il faut y renoncer.

Cette lettre, elle ne sait même pas où l'envoyer. Elle ignore l'endroit où il vit. Il partage une chambre avec un autre ouvrier, lui a-t-il dit une fois, dans un quartier de la périphérie. Qu'importe, Giulia va la déposer dans la grotte où ils ont l'habitude de se retrouver. Elle la laisse sous un coquillage, près du rocher où, tant de fois, ils se sont enlacés.

Leur histoire s'achève là, se dit-elle, un peu par accident, comme elle a commencé.

Cette nuit-là, Giulia ne dort pas. Le sommeil, elle l'a perdu au fond du tiroir dans le bureau du *papa*. Elle regarde les heures s'égrener. Ses nuits sont blanches, angoissantes comme si le jour n'allait plus se lever. Elle n'a même pas la force de lire. Elle reste immobile comme une pierre, prisonnière de l'obscurité.

Elle va devoir annoncer la fermeture de l'atelier aux ouvrières. Elle sait que c'est à elle de le faire – elle ne peut compter ni sur ses sœurs, ni sur sa mère. Ces femmes qui sont plus que ses collègues, ses amies, elle va devoir les renvoyer. Il n'y aura rien pour apaiser leur peine, juste des larmes amères à partager. Elle sait ce que l'atelier représente pour chacune d'elles. Certaines y ont passé toute leur vie. Que va devenir la *Nonna* ? Qui voudra la réengager ? Alessia, Gina, Alda ont plus de cinquante ans, un âge critique pour le marché de l'emploi. Que va faire Agnese, seule avec ses enfants depuis que son mari l'a quittée ? Et Federica, qui n'a plus ses parents pour l'aider ?… Ce moment, Giulia a tenté de le repousser, comme on diffère une opération que l'on sait par avance douloureuse. Il faut s'y résoudre, pourtant. Demain je dois leur parler, se dit-elle. Cette pensée l'anéantit, et la tient éveillée.

C'est vers deux heures du matin que la chose se produit.

Un caillou jeté à sa fenêtre, en pleine nuit.

Giulia tressaille, sort de la torpeur dans laquelle elle a fini par sombrer. Un deuxième impact retentit. Elle s'approche de la vitre : Kamal est là, dans la rue, en bas. Il a les yeux levés vers elle. Sa lettre à la main, il l'appelle :

Giulia !
Descends !
Je dois te parler !

Giulia lui fait signe de se taire. Elle craint que sa mère ne s'éveille, ou les voisins – ils ont le sommeil léger. Mais Kamal ne bouge pas. Il insiste, il veut lui parler. Giulia finit par s'habiller. Elle descend à la hâte, le rejoint dans la rue.

Tu es fou, lui dit-elle. Tu es fou de venir ici.

C'est alors que le miracle se produit.

## Sarah

*Montréal, Canada.*

Ça commence de manière insidieuse. C'est d'abord une réunion, à laquelle on oublie de la convier. *On ne voulait pas te déranger,* dira plus tard l'associé concerné.

C'est ensuite un dossier, dont on évite de lui parler. *En ce moment, tu as assez à penser.* Autant de formules qui fleurent bon la compassion, on y croirait presque. Des égards, Sarah n'en veut pas, elle veut continuer à travailler, être considérée, comme avant. Elle refuse qu'on la ménage. Elle le sent pourtant, depuis quelque temps, on l'implique moins dans la vie du cabinet, dans les décisions à prendre, la gestion des dossiers. Il y a des choses qu'on oublie de lui dire, des questions qu'on va poser à d'autres.

Depuis l'annonce de sa maladie, Curst a pris du galon au sein du cabinet. Sarah le voit plus souvent parler avec Johnson, rire à ses plaisanteries, l'accompagner à ses déjeuners. Inès, quant à elle, prend des initiatives, de plus en plus de libertés dans les dossiers qu'elle traite, sans consulter Sarah. Lorsque celle-ci la rappelle à l'ordre, la junior rétorque d'un air faussement navré qu'elle n'était *pas là*, ou *pas disponible* – c'est-à-dire : à l'hôpital. Elle profite de ses absences pour prendre les décisions à sa place, intervenir dans les réunions. Elle s'est beaucoup rapprochée de Curst récemment, s'est même mise à fumer dans le seul but, pense Sarah, de partager les pauses cigarettes de son nouveau mentor. On ne sait jamais, s'il y avait là quelque promotion à glaner…

À l'hôpital, Sarah a démarré son traitement. Malgré l'avis de l'oncologue, elle refuse de prendre des jours de congé. S'absenter, c'est laisser sa place, abandonner son territoire – le jeu est trop risqué. Elle doit tenir, coûte que coûte. Elle se lève chaque matin, courageusement, pour aller travailler. Elle ne laissera pas le cancer lui prendre ce qu'elle a mis des années à construire. Elle va se battre, bec et ongles, pour garder son empire. Cette seule pensée la tient debout, lui donne la force, le cran, l'énergie dont elle a besoin.

L'oncologue l'a pourtant avertie : le traitement sera lourd, et plus encore, ses effets secondaires. Il en a établi une liste exhaustive, dans un tableau qu'il lui a donné, précisant à quel moment elle aura des nausées, quelles conséquences pour ses cheveux, ses ongles, ses sourcils, sa peau, ses mains, ses pieds. Ce qui l'attend, jour après jour, pendant ses mois de cure. Sarah est repartie avec une dizaine d'ordonnances, une pour chaque effet à contrecarrer.

Ce qu'il n'a pas dit, ce que personne n'a évoqué, c'est cet effet plus indésirable encore que le syndrome mains-pieds, plus terrible que les nausées ou ce brouillard cognitif dans lequel, parfois, elle est plongée. Cet effet auquel elle n'était pas préparée, et qu'aucune ordonnance ne viendra soigner, c'est l'exclusion qui va de pair avec la maladie, cette lente et douloureuse mise à l'écart dont elle est devenue l'objet.

Au début, Sarah ne veut pas mettre de mot sur ce qui se passe au cabinet. Elle préfère ignorer les « oublis » de ses collègues, et cette indifférence nouvelle dans les yeux de Johnson. À dire vrai, le terme est mal choisi, c'est plutôt une forme de distance, un étrange refroidissement de leurs échanges. Il faut plusieurs semaines de rendez-vous auxquels on ne l'a pas conviée, de réunions où elle n'est pas invitée, de dossiers qu'on ne lui a pas donnés, de clients qu'on ne lui a pas présentés, pour qu'enfin elle en ait la certitude : on est en train de l'écarter.

Cette violence porte un nom, qu'elle a du mal à prononcer : discrimination. Un terme qu'elle a cent fois entendu lors de ses procès, et qui ne l'a jamais vraiment concernée – du moins le croyait-elle. Elle en connaît pourtant par cœur la définition : « *Toute distinction opérée entre les personnes en raison de leur origine, de leur sexe, de leur situation de famille, de leur grossesse, de leur apparence physique, de leur patronyme, de leur état de santé, de leur handicap, de leurs caractéristiques génétiques, de leurs mœurs, de leur orientation ou identité sexuelle, de leur âge, de leurs opinions politiques, de leurs activités syndicales, de leur appartenance ou de leur non-appartenance, vraie ou supposée, à une ethnie, une nation, une race ou une religion déterminée.* » Le terme est parfois associé à celui de « stigmate », tel que le sociologue Erving Goffman le définit : « *Attribut qui rend l'individu différent de la catégorie dans laquelle on voudrait le classer.* » Un individu qui en est affligé est donc un *stigmatisé*, qui s'oppose aux autres, que Goffman appelle les *normaux*.

Sarah le sait maintenant : elle est stigmatisée. Dans cette société qui prône la jeunesse et la vitalité, elle comprend que les malades et les faibles n'ont pas leur place. Elle qui appartenait au monde des puissants est en train de basculer, de changer de camp.

Quel recours contre cela ? Contre la maladie, elle sait comment lutter, elle a des armes, des traitements, des médecins à ses côtés. Mais contre l'exclusion, quels remèdes ? On est en train de la pousser lentement vers la sortie, de l'enfermer dans un placard, que peut-elle faire pour inverser sa trajectoire ?

Se battre, oui, mais comment ? Assigner *Johnson & Lockwood* pour discrimination ? Cela implique de démissionner. Si elle part, elle n'aura aucune aide, ne bénéficiera d'aucune protection sociale. Retrouver du travail ailleurs ? Qui les engagerait, elle et son cancer ? Fonder son propre cabinet ? Une perspective séduisante, mais qui nécessite des investissements. Les banques ne prêtent qu'à ceux en bonne santé, elle le sait. En outre, quels clients la suivraient ? Elle ne pourrait rien leur promettre, pas même qu'elle sera là dans un an pour défendre leurs intérêts.

Elle se souvient de cette affaire terrible, il y a quelques années, cette femme défendue par l'un de ses collègues, qui travaillait comme secrétaire dans un cabinet médical. Se plaignant de douleurs à la tête, elle s'était confiée au médecin qui l'employait ; il l'avait alors auscultée. Après lui avoir fait passer un examen, il l'avait convoquée le soir même, pour lui signifier son licenciement : elle avait un cancer. Bien sûr, les raisons alléguées étaient « économiques », mais personne n'était dupe. La procédure avait duré trois ans, la femme avait fini par gagner. Elle était décédée peu de temps après.

La violence qui frappe Sarah est plus douce. Elle ne dit pas son nom. Elle est plus insidieuse, et par là même délicate à prouver. Pourtant, elle est réelle.

Un matin de janvier, Johnson la convoque dans son bureau, là-haut. Il prend de ses nouvelles, l'air faussement affecté. Sarah va bien, merci. En chimio, oui. Il évoque alors ce cousin éloigné, traité pour un cancer il y a vingt ans, qui est en pleine forme aujourd'hui. Sarah s'en fout, de toutes ces guérisons qu'on lui sort à tout-va, qu'on lui jette au visage comme des os à ronger. Cela ne changera rien pour elle. Elle voudrait lui répondre que sa mère en est morte, qu'elle-même est malade comme un chien, que sa fausse compassion, il peut se la garder. Il ne sait pas ce que c'est, d'avoir des aphtes dans la bouche au point de ne pas pouvoir manger, de sentir vos pieds si brûlants qu'à la fin de la journée vous ne pouvez plus marcher, d'être tellement épuisée que le moindre escalier vous semble insurmontable. Derrière ses faux airs de pitié, il se moque de savoir que dans quelques semaines vous n'aurez plus de cheveux, que votre corps est tellement maigre que dans la glace il vous effraie, que vous avez peur de tout, peur de souffrir, peur de mourir, que la nuit vous ne dormez plus, que vous vomissez trois fois par jour, que certains matins vous doutez de pouvoir seulement tenir debout. Qu'il aille donc se faire foutre, avec sa bonne conscience. Et son cousin aussi.

Comme toujours, Sarah reste polie.

Johnson en arrive au sujet : dans le dossier Bilgouvar, il veut lui adjoindre un associé. Sarah reste bouche bée. Elle met quelques instants avant de protester. Bilgouvar est son client depuis des années, elle n'a besoin de personne pour gérer ses intérêts. Johnson soupire, évoque alors cette réunion, cette unique réunion où elle est arrivée en retard – elle s'était levée à l'aube pour aller passer un examen à l'hôpital avant le début de sa journée. L'appareil de l'IRM s'était bloqué – pas de chance, ça arrive une fois tous les trois ans, avait dit le technicien d'un air navré. Sarah s'était pressée pour rattraper son retard, était arrivée essoufflée à la réunion qui venait à peine de commencer. Bien sûr, Johnson n'a que faire de tout cela, les explications de Sarah ne l'intéressent pas, sa quincaillerie, elle peut la remballer. Inès était là, heureusement. Toujours à l'heure, précise-t-il, décidément parfaite. Il y a aussi ce malaise que Sarah a fait lors d'une audience qui a dû être reportée, souligne-t-il. Il prend alors cette voix mielleuse, cette voix qu'elle exècre entre toutes, pour lui dire qu'il comprend-qu'elle-ait-des-obligations-médicales, que tout-le-monde-ici-souhaite-qu'elle-se-rétablisse-au-mieux-et-au-plus-vite, Johnson est fort pour ça, ces phrases toutes faites qui ne veulent rien dire, qui sonnent creux, il pense que Sarah-a-besoin-d'être-soutenue, c'est-la-vocation-et-l'essence-même-de-ce-cabinet, du-travail-en-équipe. Pour-l'épauler-dans-ce-moment-difficile-il-va-lui-adjoindre-l'aide-de… Gary Curst.

Si Sarah n'était pas assise, elle serait tombée.

Elle préférerait tout, tout, plutôt que ce qui est en train d'arriver.

Elle préférerait être renvoyée, mise à pied. Elle préférerait être giflée, insultée, au moins la chose serait claire. Tout plutôt que cette placardisation, cette mise à mort lente et insupportable. Elle a l'impression d'être un taureau dans l'arène, qu'on est en train de sacrifier. Elle sait qu'il est inutile de protester, aucun des arguments qu'elle pourra avancer ne changera l'ordre des choses. Son sort est scellé, Johnson en a décidé. Malade, elle ne lui est plus d'aucune utilité. Elle est une valeur sur laquelle il ne veut plus compter.

Curst ne va faire qu'une bouchée du dossier Bilgouvar. Il va lui prendre son plus gros client. Johnson le sait. Ensemble, ils sont en train de la dépecer, alors qu'elle est à terre. Sarah voudrait crier au secours, comme dans les jeux de ses enfants elle voudrait crier : Au voleur ! Autant hurler dans le désert. Il n'y aura personne pour l'entendre, personne pour lui venir en aide. Les brigands sont bien habillés, la chose ne se voit pas, elle a même des allures de respectabilité. C'est une violence chic, une violence parfumée, une violence en costume trois-pièces.

Il tient sa revanche, Gary Curst. Avec le dossier Bilgouvar, il devient l'associé le plus puissant du cabinet, un successeur rêvé pour Johnson. Il n'est pas malade, lui, pas affaibli, il est même au sommet de sa forme, comme un vampire repu du sang des autres.

À la fin de l'entretien, Johnson regarde Sarah d'un air désolé, et lui lance cette phrase cruelle : *Vous avez l'air fatiguée. Vous devriez rentrer vous reposer.*

Sarah regagne son bureau, anéantie. Des coups, elle savait qu'elle en prendrait, mais elle ne s'attendait pas à celui-là. Quelques jours plus tard, lorsque la nouvelle tombe, l'information ne la surprend même pas : Curst est nommé *Managing Partner.* Il succède à Johnson au poste suprême, à la tête du cabinet. Cette nomination sonne le glas de la carrière de Sarah.

Ce jour-là, elle rentre chez elle en milieu d'après-midi. C'est une heure qu'elle ne connaît pas, une heure de sa maison vide. Tout y est silencieux. Elle s'assoit sur son lit et se met à pleurer, car elle pense à cette femme qu'elle a été, qu'elle était hier encore, une femme forte et volontaire qui avait sa place dans le monde, et se dit qu'aujourd'hui le monde l'a abandonnée.

Il n'y a plus rien, alors, qui s'oppose à sa chute.

La descente vient de commencer.

*Ce matin, un des fils a cassé.*
*Cela arrive rarement.*
*Pourtant, c'est arrivé.*

*C'est une catastrophe, un raz de marée*
*À l'échelle microscopique,*
*Qui anéantit le travail de nombreuses journées.*

*Je songe à Pénélope alors,*
*Qui inlassablement refait*
*Chaque jour ce qu'elle détruit la nuit.*

*Il me faut tout recommencer.*

*Le modèle sera beau, cette pensée me console.*
*Ne pas perdre le fil,*
*Je dois m'y accrocher.*

*Reprendre, et continuer.*

## Smita

*Varanasi, Uttar Pradesh, Inde.*

Smita s'éveille en sursaut sur le quai où elle s'est assoupie, Lalita pelotonnée contre elle. L'aube pointe ses premiers rayons. Des centaines de personnes se sont mises à courir, emportant tout sur leur passage, en direction d'un train qui vient d'arriver. Elle réveille la fillette, affolée.

Viens !
Le train est là !
Vite !

Elle rassemble leurs affaires à la hâte – elle a dormi sur leur sac, pour le protéger des voleurs. Elle attrape la main de Lalita et s'élance en direction des wagons de troisième classe. C'est une véritable cohue sur le quai, une marée humaine, les gens se poussent, se bousculent, se piétinent. « *Tchalo, tchalo !* » crie-t-on de partout, *Allez, allez !* Smita s'accroche à la poignée de la porte du train, la pression est forte, elle s'y agrippe. Elle tente de faire monter Lalita en premier, elle a peur que la petite fille n'étouffe entre les voyageurs empressés. Soudain prise d'un doute, elle se tourne vers l'homme efflanqué à côté d'elle. Est-ce bien le train qui va à Chennai ? crie-t-elle.

Non ! répond-il. Il va à Jaipur. Il ne faut pas se fier aux panneaux, ajoute-t-il, ils sont souvent faux.

Smita rattrape Lalita, déjà quasiment dans le wagon, et rebrousse chemin en fendant la foule à grand-peine, comme un saumon remontant le courant.

Après plusieurs allées et venues, des renseignements contradictoires, une tentative vaine pour questionner un agent, Smita et Lalita trouvent enfin le train à destination de Chennai. Elles montent dans le wagon bleu de « *sleeper class* ». C'est une voiture sans air conditionné, au confort vétuste, où grouillent blattes et souris. Elles se glissent péniblement dans le compartiment surpeuplé, jusqu'à une place minuscule sur une banquette en bois. Une vingtaine de personnes sont déjà entassées dans cet espace de quelques mètres carrés. Au-dessus, les emplacements réservés aux bagages sont occupés par des hommes et des femmes, dont les jambes pendent dans le vide. Le trajet sera long, plus de deux mille kilomètres à parcourir ainsi. Leur train est un omnibus, moins cher que l'express. Il s'arrête partout et roule lentement. Traverser l'Inde, quelle folie, se dit Smita. C'est l'humanité tout entière qui voyage ici, amassée, suffocante, épuisée, dans ces wagons de dernière classe. Partout des familles, des bébés, des vieillards assis par terre ou debout, serrés au point de ne pouvoir bouger.

Les premières heures du voyage se déroulent sans encombre. Lalita dort, Smita somnole, dans un état de demi-conscience sans rêves. L'enfant s'éveille soudain, prise d'un besoin pressant. Smita entreprend de se frayer un chemin avec elle jusqu'au bout du wagon. L'entreprise est hasardeuse, il est difficile de ne pas piétiner les nombreux passagers assis par terre. Malgré ses précautions, elle marche sur l'un d'eux, qui l'invective d'un air furieux.

Lorsqu'elles parviennent devant la porte des toilettes, celle-ci est fermée à double tour. Smita tente de l'ouvrir, y frappe plusieurs coups. Pas la peine d'insister, lance une vieille femme édentée à la peau tannée comme un parchemin, assise par terre, cela fait des heures qu'ils sont enfermés là. Une famille entière, qui cherchait un coin où s'asseoir et dormir. Ils n'en sortiront pas avant la fin du voyage, leur dit-elle. Smita se met à tambouriner, tantôt autoritaire, tantôt suppliante. Inutile de s'égosiller, ajoute la vieille, d'autres ont déjà essayé.

Ma fille a vraiment besoin, souffle Smita. La vieille édentée désigne un coin du wagon : elle n'a qu'à faire là. Ou attendre le prochain arrêt. Lalita semble paralysée ; elle ne veut pas se soulager devant les autres voyageurs, à six ans, elle a déjà un sens aigu de la dignité. Smita lui fait comprendre qu'elle n'a pas le choix. Elles ne pourront prendre le risque de descendre au prochain arrêt, trop bref. À la gare précédente, une famille s'est retrouvée piégée – il y avait du monde partout sur le quai, ils n'ont pu remonter dans le train. Il est reparti sans eux, les abandonnant au milieu de nulle part, dans cette gare inconnue, sans bagages.

Lalita secoue la tête. Elle préfère se retenir. Il y aura une halte plus longue, dans une heure ou deux, à Jabalpur. Elle tiendra jusque-là.

Tandis qu'elles regagnent leur banquette, une odeur pestilentielle envahit le wagon, une puanteur d'urine et d'excréments mêlés. C'est ainsi à chaque gare que le train dessert – les habitants des villes ont l'habitude de venir se soulager près des voies de chemins de fer. Smita la connaît bien, cette odeur, elle est partout la même, elle n'a pas de frontière, elle ignore le rang, la caste ou la richesse. Elle y est habituée mais elle retient son souffle, comme elle l'a fait tant de fois lors de sa tournée. Elle place un foulard sur son nez et celui de sa fille.

Plus jamais ça. Elle se l'est promis. Ne plus vivre en apnée. Respirer librement, dignement, enfin.

Le train repart. L'odeur infâme se dissipe pour faire place à celle, moins suffocante bien que nauséabonde, des corps serrés et transpirants. Il est bientôt midi, la chaleur est difficile à supporter dans les compartiments surpeuplés dont un simple ventilateur brasse l'air fétide. Smita fait boire Lalita, lampe elle-même quelques gorgées.

La journée s'étire dans une torpeur moite. Certains cirent leurs chaussures au milieu du compartiment. D'autres regardent le paysage à travers la porte entrouverte, ou se pressent aux barreaux des fenêtres, espérant y trouver quelques bouffées d'air frais, là où ne vient s'engouffrer qu'un flux d'air tropical. Un homme arpente le train en récitant des prières, verse de l'eau sur la tête des voyageurs en guise de bénédiction. Un mendiant balaye le sol du wagon en réclamant quelques pièces pour son entretien. Il raconte à qui veut l'entendre sa triste histoire. Il travaillait aux champs avec sa famille, dans le Nord, lorsque de riches fermiers vinrent chercher son père, qui leur devait de l'argent. Ils l'assommèrent, fracturèrent ses membres et arrachèrent ses yeux avant de le pendre par les pieds, devant sa famille réunie. Lalita tressaille au récit de cette sombre histoire. Smita invective le mendiant, qu'il aille donc balayer ailleurs, ici il y a des enfants.

À côté d'elle, une femme ronde trempée de sueur raconte qu'elle se rend au temple de Tirupati pour y faire une offrande. Smita sort de sa torpeur. Le fils de la femme est tombé malade, il était perdu aux yeux des médecins. Un guérisseur lui a conseillé de faire un sacrifice dans un temple, et son fils a guéri. Aujourd'hui, elle va remercier Vishnou pour ce miracle, en déposant des vivres et des couronnes de fleurs au pied de sa statue. Pour cela, elle a entrepris un périple de plusieurs milliers de kilomètres. Elle se plaint des conditions du voyage, mais c'est ainsi, ajoute-t-elle : Dieu décide si le chemin qui mène à lui doit être difficile.

La nuit arrive. Dans le wagon, on s'organise pour trouver un semblant de repos. Les banquettes en bois se transforment en couchettes. Il est néanmoins malaisé d'y dormir. Smita finit par s'assoupir, collée au petit corps de Lalita, près de la femme opulente. Elle repense à la promesse qu'elle a faite elle-même à Vishnou avant d'entreprendre ce voyage. Elle doit tenir parole, se dit-elle.

Elle prend alors une décision, là, sur cette couchette en bois, dans cette nuit profonde, quelque part entre l'État du Chhattisgarh et de l'Andhra Pradesh : demain, Lalita et elle ne poursuivront pas leur route jusqu'à Chennai, comme elle l'avait prévu. Lorsque le train s'arrêtera en gare de Tirupati, elles en descendront et gagneront la montagne sacrée pour rendre hommage à leur divinité. Smita s'endort avec cette pensée, soudain apaisée : Vishnou les attend.

Son Dieu est là, tout près.

## Giulia

*Palerme, Sicile.*

Giulia a rejoint Kamal dans la rue, en pleine nuit. Elle se sent fébrile, soudain, face à lui. Que va-t-il dire ? Qu'il l'aime ? Qu'il ne veut pas qu'ils soient séparés ? Assurément, il va tenter de la retenir, de l'empêcher de contracter ce mariage insensé. Comme dans ces mélodrames que la *mamma* regarde à longueur de journée, Giulia s'attend à des étreintes, à des adieux déchirants… Il faudra se quitter, pourtant.

Mais Kamal n'est pas larmoyant, pas même ému. Excité plutôt, impatient. Ses yeux brillent d'un étrange éclat. Il parle à voix basse, rapidement, comme on livrerait un secret.

J'ai peut-être la solution, dit-il, pour l'atelier.

Sans plus d'explication, il lui prend la main et l'entraîne en direction de la mer, vers cette grotte où ils ont l'habitude de se retrouver.

Dans l'obscurité, Giulia a du mal à discerner ses traits. Il a lu sa lettre, dit-il : la fermeture de l'atelier n'est pas une fatalité. Il y a une solution qui pourrait les sauver. Elle le dévisage, incrédule – quelle étrange énergie s'est emparée de lui ? Si calme d'ordinaire, Kamal est exalté. Il poursuit : si le code de conduite des sikhs leur interdit de se couper les cheveux, il n'en est pas de même pour les hindous dans son pays. Eux les coupent, au contraire, par milliers, dans des temples en offrande à leurs divinités. Si l'acte de se raser la tête est considéré comme sacré, les cheveux, eux, ne le sont pas : ils sont ensuite ramassés et vendus sur des marchés. Certains ont même fait commerce de cette activité. Si la matière première vient à manquer ici, conclut-il, il faut aller la chercher là-bas. Importer. C'est la seule façon de sauver l'atelier.

Giulia ne sait que dire. Elle oscille entre sidération et incrédulité. Le projet de Kamal lui paraît insensé. Des cheveux indiens, quelle étrange idée… Bien sûr, elle saurait les traiter. Elle connaît la formule chimique de son père, elle pourrait les décolorer, les rendre de ce blanc laiteux qui permet de les reteindre ensuite. Elle en a la connaissance et la capacité. Mais cette idée l'effraie. Importer, le terme lui paraît presque barbare, comme emprunté à une langue étrangère, une langue qui n'est pas celle d'ici, des petits ateliers. Les cheveux traités par les

Lanfredi viennent de Sicile, il en a toujours été ainsi, ce sont des cheveux locaux, des cheveux de l'île.

Lorsqu'une source tarit, il faut en chercher une autre, répond Kamal. Si les Italiens ne gardent plus leurs cheveux, les Indiens, eux, les donnent ! Ils sont des milliers à se rendre dans les temples, chaque année. Leurs cheveux sont vendus par tonnes. C'est une manne presque inépuisable.

Giulia ne sait que penser. Cette idée la séduit et, la seconde d'après, lui semble hors de portée. Kamal affirme qu'il peut l'aider. Il parle la langue, il connaît le pays. Il pourrait être un trait d'union entre l'Inde et l'Italie. Cet homme est merveilleux, se dit-elle, il semble croire que tout est possible. Elle s'en veut d'être aussi sceptique et désespérée.

Elle revient chez elle, la tête en feu. Son esprit s'agite comme un singe dans une cage, impossible à calmer. Elle ne parviendra plus à dormir, inutile d'essayer. Elle allume son ordinateur, et passe le reste de la nuit à faire des recherches enfiévrées.

Kamal dit vrai. Sur Internet, elle trouve des images d'Indiennes et d'Indiens dans les temples. Dans l'espoir d'une bonne récolte, d'un mariage heureux, ou d'une meilleure santé, des hommes et des femmes viennent offrir leurs cheveux à leurs divinités. Il s'agit pour la plupart de pauvres et d'Intouchables, dont la chevelure constitue la seule richesse.

Il y a aussi cet homme d'affaires anglais, dans cet article qu'elle vient de découvrir, qui a fait fortune dans le commerce des cheveux importés. Il est maintenant connu dans le monde entier. Il se déplace en hélicoptère. Dans son usine près de Rome, il fait venir les mèches indiennes par tonnes. La marchandise arrive par avion à l'aéroport de Fiumicino avant d'être acheminée dans une zone industrielle au nord de la ville, où elle est traitée dans d'immenses ateliers. L'Anglais l'affirme : les cheveux indiens sont les meilleurs du monde. Dans sa villa romaine, allongé près de sa piscine, il explique comment ils sont désinfectés puis démêlés, plongés dans des bains de dépigmentation avant d'être recolorés en blond, châtain, roux ou auburn, devenant en tout point semblables aux cheveux européens. *On transforme l'or noir en or blond*, dit-il avec satisfaction. Les mèches sont ensuite classées par longueur, puis réunies en paquets et envoyées aux quatre coins du monde, où elles sont transformées en extensions ou perruques. Cinquante-trois pays, vingt-cinq mille salons de coiffure, les chiffres donnent le tournis ! Son entreprise s'est transformée en multinationale. Au début on se moquait de lui, avoue-t-il, et de sa folle initiative. Mais la firme a prospéré. Elle compte aujourd'hui cinq cents employés, des sites

de production sur trois continents, et assure 80 % du marché du cheveu mondial, conclut-il fièrement.

Giulia est perplexe. Tout semble simple pour l'homme anglais. Ce qu'il a réalisé, en serait-elle capable ? Comment parviendrait-elle à ce tour de force ? Qui est-elle pour se croire à la hauteur de ce projet ? Transformer l'atelier familial en entreprise industrielle, n'est-ce pas pure utopie ? Pourtant, l'Anglais l'a fait. S'il a réussi, ne le peut-elle aussi ?

Une question, plus que toute autre, la tourmente : que dirait son père ? La soutiendrait-il ans cette voie ? Il affirmait qu'il fallait voir grand, tre audacieux et entreprenant. Néanmoins, il était rouchement attaché à ses racines et à son identé. Des cheveux siciliens, se plaisait-il à répéter qui voulait l'entendre, en désignant ses mèches. voluer, serait-ce donc le trahir ?

Giulia songe à sa photo dans le bureau, près de celles de son père et de son grand-père, trois générations de Lanfredi qui se sont succédé à l'atelier. Elle se dit alors que la vraie trahison serait de renoncer. Anéantir le travail de leurs vies, ne serait-ce pas cela, les trahir tout à fait ?

Soudain, elle veut y croire. Ils ne se noieront pas. L'atelier n'est pas condamné. Elle n'épousera jamais Gino Battagliola. L'idée de Kamal est un don, une

chance, une providence. C'est le *Costa Concordia*, s'était-elle dit ce jour-là devant le tiroir du *papa*, mais il lui semble à présent qu'un bateau s'avance dans le noir pour les secourir et leur lancer une bouée.

Elle songe à Kamal, et comprend soudain que cet homme, elle ne l'a pas rencontré par hasard, le jour de Santa Rosalia. Il lui a été envoyé. Le ciel a entendu sa prière, et l'a exaucée.

Il est là le signe, le miracle qu'elle attendait.

## Smita

*Tirupati, Andhra Pradesh, Inde.*

Tirupati ! Tirupati !

Un homme dans le wagon s'est mis à crier. Le train s'arrête bientôt en gare de Tirupati, les freins crissent sur les rails. Aussitôt, des torrents de pèlerins se déversent sur les quais, chargés de couvertures, de bagages, de timbales en métal, de provisions, de fleurs, d'offrandes, des enfants dans les bras, des vieillards sur le dos. Tous se pressent vers la sortie, en direction de la colline sacrée. Prise dans ce flux torrentiel, incapable de lutter contre le courant, Smita se cramponne à la main de Lalita. Redoutant qu'elle ne lui soit arrachée, elle finit par la prendre dans ses bras. La gare ressemble à une fourmilière, où se presseraient des dizaines de milliers d'insectes. On parle de cinquante mille pèlerins chaque jour, jusqu'à dix fois plus les jours de fête, venus rendre hommage à Lord Venkateshwara, le « Seigneur des Sept Collines », l'une des

incarnations de Vishnou. On lui attribue le pouvoir d'exaucer toute demande faite devant lui. Sa gigantesque statue repose dans le sanctuaire du temple, tout en haut de la colline sacrée, qui domine la ville étendue à ses pieds.

Au contact de ces milliers d'âmes ferventes, Smita est prise d'une sorte d'exaltation, en même temps que d'une grande frayeur. Elle se sent petite, dérisoire au milieu de cette foule qui lui est étrangère et qui, pourtant, partage le même élan. Tous viennent ici dans l'espoir d'une vie meilleure, ou en remerciement d'une faveur : la naissance d'un fils, la guérison d'un proche, une bonne récolte, un mariage heureux.

Pour se rendre au temple, certains se pressent vers les bus qui acheminent les pèlerins en haut de la montagne, moyennant quarante-quatre roupies. Tous savent pourtant que le vrai pèlerinage se fait à pied. Smita n'est pas venue de si loin pour se laisser aller à la facilité. Elle retire ses sandales, et celles de Lalita, comme le veut la tradition. Ils sont nombreux comme elles à se déchausser, en signe d'humilité, pour entamer l'ascension des marches qui mènent aux portes du temple. Trois mille six cents marches, environ quinze kilomètres, trois heures d'effort ! précise un vendeur de fruits assis sur le bas-côté. Smita s'inquiète pour Lalita, la petite fille est fatiguée, elles ont peu dormi dans le train inconfortable et surpeuplé. Qu'importe, elles ne peuvent

plus reculer. Elles iront à leur rythme, dussent-elles y passer la journée. Vishnou a veillé sur elles, Il les a menées jusqu'ici, elles n'ont pas le droit de faillir si près de Lui. Smita dépense quelques roupies en noix de coco, que Lalita dévore avec appétit. Elles en conservent une qu'elles cassent sur la première marche du parcours, en offrande au dieu, selon la coutume. Certains allument de petites bougies qu'ils déposent sur chaque marche – il faut du courage et une grande volonté pour monter jusqu'au temple plié en deux. D'autres y appliquent un mélange de pigment et d'eau, qui donne à l'escalier une couleur flamboyante, pourpre et ocre. Les plus pieux et les plus volontaires font le chemin à genoux. Smita observe une famille entière, qui avance ainsi lentement, grimaçant de douleur à chaque marche franchie. Quelle abnégation, se dit-elle avec envie.

Au premier quart du parcours, Lalita montre des signes de fatigue. Elles marquent des pauses pour se désaltérer et reprendre leur souffle. Au bout d'une heure de marche, la fillette n'en peut plus. Smita hisse le petit corps frêle sur son dos, pour continuer la montée. Elle-même est fluette, au bord de l'épuisement, mais elle est tout entière à son but, concentrée sur l'image de ce dieu tant aimé devant lequel, bientôt, elle se tiendra. Il lui semble que Vishnou décuple ses forces aujourd'hui, pour lui permettre, à elle, Smita, d'arriver tout en haut et se prosterner devant lui.

Lalita dort depuis un moment déjà, lorsque Smita achève son ascension. Elle s'assoit pour reprendre son souffle devant les portes du temple. De hautes enceintes en délimitent l'espace sacré. Une gigantesque tour de granit blanc, d'architecture dravidienne, s'élance vers le ciel. Smita n'a jamais rien vu de tel. Tirumala est un monde en lui-même, plus peuplé qu'une ville. Comme le veut la tradition, on n'y vend ni alcool, ni viande, ni cigarettes. On y accède en achetant un ticket – le moins cher coûte douze roupies, précise un pèlerin âgé à Smita. Une foule innombrable se presse devant les guichets derrière lesquels, de temps en temps, paraît un visage. Elle comprend alors que ce chemin éprouvant n'était qu'un avant-goût de ce qui les attend. Il leur faudra patienter des heures avant d'espérer entrer dans le sanctuaire.

Il est tard, la nuit commence à tomber. Smita a besoin de repos. Elle doit dormir un peu, ou du moins essayer. Parmi les nombreux vendeurs de fleurs et d'objets touristiques qui se pressent près des portes du temple, un homme s'avance vers elle. Il a remarqué son air désemparé, sa lassitude profonde. Il existe des dortoirs gratuits réservés aux pèlerins, lui dit-il. Il peut leur montrer le chemin. Il la dévisage, s'attarde sur Lalita. En échange d'une ou deux faveurs, il les emmènera là-bas. Smita saisit la main de sa fille et l'entraîne vivement loin

du prédateur. Son visage était pourtant avenant, on aurait dit celui d'un ange… Elle est parcourue d'un frisson à l'idée de passer la nuit dehors ; deux femmes seules sont des proies si faciles. Il leur faut trouver un abri pour la nuit. C'est une question de survie. Au bord de la route, un Sâdhu vêtu d'un longhi jaune, la couleur des vishnouites, lui indique la direction à suivre.

Le premier dortoir est fermé, le deuxième affiche complet. À l'entrée du troisième, une vieille femme annonce qu'il ne lui reste qu'un lit. Qu'importe. Smita et Lalita ont tant partagé qu'elles ont l'impression de ne plus faire qu'une. Elles pénètrent dans la salle vétuste où sont alignées des dizaines de couches sommaires, s'étendent l'une contre l'autre, et malgré le brouhaha ambiant, sombrent dans un sommeil profond.

## Sarah

*Montréal, Canada.*

Voilà trois jours que Sarah ne sort plus de son lit.

Hier, elle a appelé le médecin pour lui demander un arrêt de travail – le premier de sa carrière. Elle ne veut pas retourner au cabinet. Elle ne supporte plus cette hypocrisie, cette mise à l'écart dont elle est devenue l'objet.

D'abord il y a eu le déni, l'incrédulité. Puis la colère, une rage incontrôlée s'est emparée d'elle. L'abattement lui a succédé, incommensurable, comme une étendue désertique n'offrant pas d'échappée.

Sarah a toujours été maîtresse de ses choix, des orientations de sa vie, elle était une *executive woman* comme on dit ici, littéralement « *une personne jouissant d'une position dominante dans une entreprise ou une compagnie, qui prend les décisions*

*et les fait appliquer* ». Dorénavant, elle subit. Elle se sent trahie, comme une femme répudiée qu'on renvoie parce qu'elle n'a pas donné ce qu'on attendait d'elle, parce qu'on la juge inapte, insuffisante, stérile.

Elle qui a vaincu le plafond de verre se heurte aujourd'hui à ce mur invisible qui sépare le monde des bien portants de celui des malades, des faibles, des vulnérables, auquel elle appartient désormais. Johnson et ses pairs sont en train de l'enterrer. Ils ont jeté son corps dans une fosse et l'ensevelissent lentement, à grandes pelletées de sourires, à grands coups de fausse compassion. Professionnellement, elle est morte. Elle le sait. Comme dans un cauchemar, elle assiste, impuissante, à son propre enterrement. Elle a beau hurler, crier qu'elle est là, vivante dans le cercueil, personne ne l'écoute. Son calvaire prend des allures de rêve éveillé.

Ils mentent, tous autant qu'ils sont. Ils lui disent *sois forte*, ils lui disent *tu vas t'en sortir*, ils disent *on est avec toi* mais leurs gestes indiquent le contraire. Ils l'ont laissée tomber. Comme ces objets abîmés que l'on jette au rebut, elle est mise à l'index.

Elle qui a tout sacrifié au travail est aujourd'hui elle-même sacrifiée, sur l'autel de l'efficacité, de la

rentabilité, de la performance. Ici, c'est marche ou crève. Qu'elle s'en aille donc crever.

Son plan n'a pas fonctionné. Son mur s'est effondré, dynamité par l'ambition d'Inès, doublée de celle de Curst, avec la bénédiction de Johnson. Elle pensait qu'il l'aurait défendue, ou du moins qu'il aurait essayé. Il l'a abandonnée sans regret. Il lui a enlevé la seule chose qui la tenait debout, la seule qui lui donnait la force de se lever le matin : son moi social, sa vie professionnelle, l'impression d'être quelqu'un dans ce monde, d'y avoir sa place.

Ce qu'elle redoutait a fini par arriver : Sarah est devenue son cancer. Elle est sa tumeur personnifiée. En elle, les gens ne voient plus une femme de quarante ans, brillante, élégante, performante, mais l'incarnation de sa maladie. Pour eux elle n'est plus une avocate malade, elle est une malade avocate. La différence est de taille. Le cancer fait peur. Il isole, il éloigne. Il pue la mort. À son contact, on préfère se détourner, se boucher le nez.

Intouchable, voilà ce que Sarah est devenue. Reléguée au ban de la société.

Alors non, elle ne retournera pas là-bas, dans cette arène qui l'a condamnée. Ils ne la verront pas tomber. Elle ne se donnera pas en spectacle, ne

s'offrira pas en pâture aux lions. Il lui reste encore ça : sa dignité. Le pouvoir de dire non.

Ce matin, elle n'a pas touché au plateau de petit déjeuner que Ron a préparé pour elle. Les jumeaux sont venus l'embrasser, se sont glissés dans son lit. Elle n'a pas même réagi au contact de leurs petits corps chauds et souples. Hannah l'a suppliée, a tout essayé pour la faire se lever. Elle l'a encouragée, menacée, culpabilisée, en vain. Elle sait qu'elle trouvera sa mère dans la même position en rentrant ce soir.

Sarah passe ses journées ainsi, dans une léthargie morbide, un engourdissement progressif. Elle se laisse lentement dériver loin du monde. Elle revoit le film de ces dernières semaines, se demande ce qu'elle aurait pu faire pour en changer le cours. Rien, sans doute. La partie s'est jouée sans elle. Game over. Terminé.

Prétendre que tout va bien, que rien n'a changé, conserver une vie normale, garder le cap, tenir, faire semblant, elle s'en est crue capable. Elle pensait gérer la maladie à la manière d'un dossier, avec méthode, application et volonté. Cela n'a pas suffi.

Dans un rêve semi-éveillé, elle imagine la réaction de ses collègues à l'annonce de sa mort. C'est une pensée macabre, pourtant elle s'y complaît, comme on choisit parfois d'écouter un air triste lorsqu'on a du chagrin. Elle voit déjà leurs mines éplorées, leurs airs faussement navrés. Ils diront : *La tumeur était maligne*, ou bien : *Elle se savait condamnée.* Ils diront : *Il était trop tard*, ou pire : *Elle avait trop attendu*, la rendant ainsi responsable, voire coupable de son sort. La vérité est ailleurs. Ce qui tue Sarah Cohen, ce qui la ronge à petit feu, ce n'est pas seulement la tumeur qui a pris possession de son corps et mène la danse, une danse cruelle aux mouvements imprévisibles, non, ce qui la tue, c'est l'abandon de ceux qu'elle considérait comme ses pairs, dans ce cabinet dont elle a contribué à faire la renommée. C'était sa raison d'être, le sens de sa vie, son *Ikigai*, comme disent les Japonais : sans lui, Sarah n'existe plus. Elle n'est qu'un être creux, vidé de sa substance.

Elle s'étonne encore de sa crédulité. Elle qui craignait que sa maladie déstabilise le cabinet, se heurte à une vérité plus cruelle : il fonctionne très bien sans elle. Sa place de parking sera réattribuée, ainsi que son bureau, ils se battront pour l'obtenir. Et cette pensée l'anéantit.

Inquiet, son médecin lui a prescrit des antidépresseurs. Selon lui, la dépression-est-un-mode-de-réaction-fréquent-à-l'annonce-d'une-maladie-grave. C'est-un-facteur-d'évolution-défavorable-pour-le-cancer. Il-faut-se-ressaisir. Sombre idiot, a pensé

Sarah. Ce n'est pas elle qui est malade, c'est la société tout entière qu'il faudrait soigner. Les faibles qu'elle devrait protéger, accompagner, elle leur tourne le dos, comme ces vieux éléphants que le troupeau laisse derrière lui, les condamnant à une mort solitaire. Dans un livre pour enfants sur les animaux, elle a lu un jour cette phrase : « Les carnivores sont utiles à la nature, car ils dévorent les faibles et les malades. » Sa fille s'est mise à pleurer. Sarah l'a consolée, en lui disant que les humains n'obéissaient pas à cette loi. Elle se croyait du bon côté de la barrière, dans un monde civilisé. Elle se trompait.

Alors on peut lui en prescrire, des pilules, autant qu'on veut, elles ne changeront pas grand-chose, ou si peu. Il y aura toujours des Johnson et des Curst pour lui remettre la tête sous l'eau.

Bande de salauds.

Les enfants sont partis, la maison est redevenue silencieuse. Sarah se lève. Marcher jusqu'à la salle de bains, c'est tout ce dont elle est capable ce matin. Dans le miroir, sa peau est pâle comme une feuille de papier, si fine que la lumière semble la traverser. Ses côtes sont saillantes, ses jambes ressemblent à des baguettes, prêtes à casser au moindre faux pas, comme des allumettes. Avant, ses jambes étaient galbées, ses fesses moulées dans des tailleurs élégamment coupés, son décolleté était une arme de séduction avérée. C'était un fait : Sarah plaisait. Peu d'hommes lui résistaient. Elle avait eu des aventures, des histoires, elle avait même eu deux amours – ses deux maris, surtout le premier qu'elle avait tant aimé. Qui la trouverait belle aujourd'hui, avec sa mine blafarde et son corps amaigri, dans ce jogging trop grand qui flotte sur elle tel le drap d'un fantôme ? La maladie effectue son travail de sape, bientôt elle en sera réduite à prendre les affaires de sa fille – du douze ans, voilà tout ce qu'elle pourra porter, une taille enfant. Quelle flamme pourrait-elle allumer ainsi ? Dans les yeux de qui ? À cet instant, Sarah se dit qu'elle donnerait n'importe quoi pour que quelqu'un la prenne dans ses bras. Pour se sentir une femme, quelques secondes encore, dans les bras d'un homme. Ce serait si doux.

Un sein en moins – au début elle n'a pas voulu se l'avouer, la peine, le chagrin. Comme elle le fait toujours, elle a placé un voile sur la chose, dans une tentative un peu vaine pour la mettre à distance, derrière un écran. Ce n'est rien, s'est-elle répété, la chirurgie plastique fait des miracles. Le mot, pourtant, lui a paru bien laid : *ablation*, un mot qui rime avec punition, agression, mutilation, amputation, démolition. Guérison, aussi, peut-être, si elle a de la chance ? Qui peut le lui promettre ? Lorsque Hannah a appris pour sa maladie, elle a paru très triste. Elle a réfléchi un moment, et puis elle a prononcé cette phrase : *Tu es une amazone, maman.* Quelque temps plus tôt, elle avait rédigé un exposé sur le sujet, que Sarah avait corrigé. Elle s'en souvient encore :

« *Amazone* : vient du grec *mazos* : "mamelle", précédé du *a* : "privé de". Ces femmes de l'Antiquité se coupaient le sein droit, pour mieux tirer à l'arc. Elles formaient un peuple de guerrières, de combattantes à la fois craintes et respectées, qui s'unissaient aux mâles des peuplades voisines pour se reproduire, mais élevaient leurs enfants seules. Elles employaient des hommes pour assurer les tâches domestiques. Elles menaient de nombreuses guerres, dont elles sortaient souvent vainqueurs. »

Cette guerre-là, hélas, Sarah n'est pas sûre de la gagner. Ce corps qu'elle a pendant des années contraint, ignoré, ce corps qu'elle a négligé, parfois même affamé – pas le temps de dormir, pas le temps de manger –, tient aujourd'hui sa revanche. Il lui rappelle cruellement qu'il existe. Sarah n'est plus qu'une ombre, un ersatz d'elle-même, un pâle reflet de celle qu'elle a été, que lui renvoie le miroir, sans pitié.

Ses cheveux, plus que tout, la désolent. Elle les perd maintenant par poignées. L'oncologue l'avait prévenue, sombre oracle : à la deuxième séance de chimiothérapie, ils commenceront à tomber. Sarah a trouvé ce matin des dizaines de petites victimes sur son oreiller. Cet événement, elle l'appréhende plus que tout autre. L'alopécie, c'est l'incarnation de la maladie. Une femme chauve, c'est une femme malade, peu importe qu'elle ait un pull magnifique, des talons hauts, un sac dernier cri, personne ne les remarquera, il n'y aura rien d'autre que ça, ce crâne nu qui est un aveu, une confession, une souffrance. Un homme rasé peut être sexy, une femme chauve sera toujours malade, pense Sarah.

Le cancer lui aura donc tout pris : son métier, son apparence, sa féminité.

Elle songe à sa mère, vaincue par la même maladie. Elle se dit alors qu'elle pourrait regagner son lit et s'éteindre en silence, la rejoindre là-bas, dans sa demeure sous la terre, partager son repos éternel. C'est une pensée morbide bien que réconfortante. Il est parfois doux de songer que tout a une fin, que le plus grand des tourments peut s'arrêter, demain.

Lorsqu'elle pense à elle, c'est son élégance qui lui revient. Même affaiblie, sa mère ne sortait jamais sans être maquillée, coiffée, les ongles faits. Les ongles, c'était un détail d'importance, elle le disait souvent : toujours soigner ses mains. Pour beaucoup, ce n'était rien, une coquetterie, une futilité, mais pour elle c'était un signe, un geste qui signifiait : je prends encore le temps de m'occuper de moi. Je suis une femme active, débordée, j'ai des responsabilités, trois enfants, (un cancer), le quotidien me dévore mais je n'ai pas renoncé, je n'ai pas disparu, je suis là, toujours là, féminine et soignée, entière, voyez le bout de mes doigts, je suis là.

Sarah est là. Devant la glace, elle regarde ses ongles abîmés, ses cheveux clairsemés.

Elle sent alors quelque chose vibrer, du plus profond d'elle-même, comme si une infime partie de son être refusait de se laisser condamner. Non, elle ne va pas disparaître. Elle ne va pas renoncer.

Une amazone, voilà ce qu'elle est. Une guerrière, une combattante. Une amazone ne se laisse pas aller. Elle se bat, jusqu'à son dernier souffle. Elle n'abandonne jamais.

Il faut retourner au combat, reprendre la lutte. Au nom de sa mère, au nom de sa fille, et de ses fils qui ont besoin d'elle. Au nom de toutes ces guerres qu'elle a menées. Elle doit continuer. Elle ne s'allongera pas dans ce lit, ne s'abandonnera pas à cette petite mort qui lui tend les bras. Elle ne se laissera pas ensevelir. Pas aujourd'hui.

Rapidement, elle s'habille. Pour cacher ses cheveux, elle attrape un bonnet dans le placard – c'est un bonnet d'enfant oublié là, à l'effigie d'un superhéros. Qu'importe, il lui tiendra chaud.

Ainsi vêtue, elle sort de la maison. Dehors, il neige. Elle a mis un manteau, par-dessus trois pulls qu'elle a superposés. Ainsi vêtue, elle paraît toute petite, on dirait un mouton d'Écosse, ployant sous le fardeau de sa laine enchevêtrée.

Sarah quitte la maison. C'est aujourd'hui, elle l'a décidé.

Elle sait exactement où aller.

# Giulia

*Palerme, Sicile.*

Les Italiens veulent des cheveux italiens.

La phrase est tombée comme un couperet. Dans le salon de la maison familiale, Giulia vient d'exposer à sa mère et ses sœurs son projet d'importer des cheveux indiens pour sauver l'atelier.

Les jours qui ont précédé, elle a travaillé d'arrache-pied à l'élaboration de son plan. Elle a fait une étude de marché, préparé un dossier pour la banque – il faudra investir, inévitablement. Elle a travaillé jour et nuit, négligeant son sommeil, mais qu'importe : elle se sent investie d'une mission quasi divine. Elle ignore d'où lui vient cette confiance, cette énergie soudaine. Est-ce la présence bienveillante de Kamal à ses côtés ? Est-ce son père, du fond de son coma, qui lui donne sa force et sa foi ? Giulia se sent prête à soulever des montagnes, des Apennins jusqu'à l'Himalaya.

Ce n'est pas l'appât du gain qui l'attire, elle n'a que faire des millions dont se vante l'homme anglais, elle n'a pas besoin d'une piscine ou d'un hélicoptère. Tout ce qu'elle veut, c'est sauver l'atelier de son père, et mettre sa famille à l'abri.

Ça ne marchera pas, dit la *mamma*. Les Lanfredi se sont toujours approvisionnés en Sicile, la *cascatura* est une coutume ancestrale ici. On ne peut pas bousculer impunément la tradition, affirme-t-elle.

La tradition va les perdre, répond Giulia. Les comptes sont sans appel : l'atelier fermera, dans un mois tout au plus. Il faut repenser la chaîne de production, s'ouvrir à l'international. Accepter que le monde change, et changer avec lui. Les entreprises familiales qui refusent d'évoluer ferment les unes après les autres dans le pays. Aujourd'hui il faut voir grand, plus loin que les frontières, c'est une question de survie ! Évoluer ou mourir, il n'y a pas d'autre choix. Tout en parlant, Giulia se sent pousser des ailes, comme si elle était soudain avocate à la barre d'un grand tribunal, lors d'un important procès. Ce métier l'a toujours fascinée – un métier réservé aux gens cultivés, de la bonne société. Il n'y a pas d'avocat chez les Lanfredi, juste des ouvriers, pourtant cela lui aurait tant plu de défendre de grandes causes, d'être une femme puissante et distinguée. Elle y songe parfois, et cette pensée va rejoindre les limbes de ses rêves oubliés.

Avec fougue, Giulia évoque la qualité des cheveux indiens, reconnue par de nombreux experts : si les asiatiques sont les plus solides, les africains les plus fragiles, les indiens sont les meilleurs, tant du point de vue de leur texture que de la possibilité de les colorer. Une fois dépigmentés et teints, ils sont en tout point semblables aux cheveux européens.

Francesca se mêle à la discussion : elle est d'accord avec leur mère, cela ne marchera jamais. Les Italiens ne voudront pas de cheveux importés. Giulia n'est pas étonnée. Sa sœur appartient au cercle des sceptiques, de ceux qui voient le monde en noir, en gris, ceux qui répondent non avant de penser oui. Ceux qui remarquent toujours le détail qui fâche au milieu du paysage, la tache minuscule sur la nappe, ceux qui explorent la surface de la vie à la recherche d'une aspérité à gratter, comme s'ils se réjouissaient de ces fausses notes du monde, qu'ils en faisaient leur raison d'être. Elle est une image inversée de Giulia, une version d'elle en négatif, au sens photographique du terme : sa luminance est inversement proportionnelle à la sienne.

Si les Italiens n'en veulent pas, ils s'ouvriront à d'autres marchés, reprend Giulia : les Américains, les Canadiens. Le monde est grand, et il a besoin de cheveux ! Les rajouts, les extensions, les perruques sont un secteur en pleine expansion. Il faut prendre la vague, au lieu de se laisser submerger.

Francesca n'épargne à Giulia ni ses doutes, ni sa défiance. Elle ne mâche pas ses mots, la grande sœur. Comment compte-t-elle s'y prendre ? Elle qui n'a jamais quitté l'Italie, n'a même jamais pris l'avion ? Elle dont l'horizon s'arrête aux contours de la baie de Palerme, comment parviendrait-elle à ce tour de force ? Ce miracle ?

Mais Giulia veut croire à son rêve. Internet a aboli les distances, le monde tient dans leurs mains à présent, comme ce globe lumineux qu'elles avaient reçu, enfants. L'Inde est toute proche, un presque continent à leur porte. Elle a longuement étudié les prix, elle connaît le cours du cheveu, son projet n'est pas irréalisable. Il demande seulement du courage, et de la foi. Elle n'en manque pas.

Adela ne dit rien. Assise dans un coin, elle regarde ses sœurs s'affronter – en toutes circonstances, elle reste neutre, indifférente à ce qui fait le monde, en un mot : adolescente.

Il faut fermer l'atelier et vendre les murs, reprend Francesca. Cela permettra de rembourser une partie de l'hypothèque de la maison. Et de quoi vivra-t-on ?! répond Giulia. Pense-t-elle qu'il soit aisé de trouver du travail ? Et leurs ouvrières, y a-t-elle pensé ? Quel avenir pour ces femmes qui ont travaillé pour eux durant toutes ces années ?

La discussion vire à l'affrontement. La *mamma* sait qu'elle va devoir trancher, séparer ses filles dont les éclats de voix résonnent dans la maison. Elles ne se sont jamais comprises, pense-t-elle amèrement, jamais entendues. Leur relation n'est qu'une succession de conflits, dont celui-ci est le point culminant. Elle doit prendre une décision pour les départager.

Il est vrai qu'il faut penser aux ouvrières, dit-elle, c'est une question d'honneur et de respect. Néanmoins, Francesca a raison sur un point : *les Italiens veulent des cheveux italiens.*

Cette phrase sonne le glas du projet de Giulia.

Elle quitte la maison, accablée. Elle savait qu'il lui faudrait se battre pour son projet, mais était loin d'imaginer une telle opposition. Elle se sent comme après une nuit de fête, nauséeuse, dégrisée. Sans l'accord de sa mère et ses sœurs, elle ne peut rien faire à l'atelier. Elles viennent de piétiner ses châteaux en Espagne. Son bel enthousiasme s'est effrité, et cède la place au doute, à la peur.

Elle va trouver refuge à l'hôpital, au chevet de son père. Qu'aurait-il dit ? Qu'aurait-il fait ? Elle aimerait tant se réfugier dans ses bras, pleurer longuement, telle une enfant. Sa foi est en train de l'abandonner. Elle ne sait plus ce qu'elle devrait faire, persévérer dans ce projet ou l'enterrer, le brûler sur l'autel de la raison, au nom de ces traditions qui meurent lentement. Elle est abattue, épuisée, si lasse de ses nuits sans sommeil qu'elle pourrait s'endormir là, sur ce lit, près du *papa*. Dormir cent ans, comme lui, voilà ce qu'elle voudrait.

Giulia ferme les yeux.

Elle se retrouve soudain là-haut, sur le toit, dans le *laboratorio*. Son père est là, assis devant la mer comme autrefois. Il n'a pas l'air de souffrir. Il semble serein, apaisé. Il lui sourit, comme s'il l'attendait. Giulia vient s'asseoir près de lui. Elle lui dit ses tourments, son chagrin, ce sentiment d'impuissance qui l'étreint. Elle lui dit qu'elle est désolée, pour l'atelier.

Ne laisse personne te détourner de ton chemin, lui répond-il. Tu dois garder la foi. Ta volonté est grande. Je crois en ta force, en tes capacités. Tu dois persévérer. La vie a prévu de grandes choses pour toi.

Un bruit aigu retentit. Giulia s'éveille en sursaut. Elle s'est endormie là, près de son père sur son lit d'hôpital. Autour de lui, les machines qui le retiennent en vie se sont mises à sonner. Des infirmières se précipitent à son chevet.

À cet instant, cet instant précis, Giulia sent la main de son père bouger.

## Smita

*Temple de Tirupati, Andhra Pradesh, Inde.*

L'aube se lève sur la montagne de Tirumala.

Smita et Lalita ont rejoint la queue des pèlerins devant l'entrée du temple. Un enfant s'avance et leur tend des *laddus*, ces pâtisseries rondes préparées à base de fruits secs et de lait concentré. Leur poids et leur composition sont codifiés – la recette a été dictée par le dieu lui-même, précise-t-il. Elles sont cuisinées à l'intérieur du temple par les *achakas*, ces prêtres de père en fils, qui les offrent aux pèlerins. En consommer fait partie intégrante du processus de purification. Smita remercie Dieu pour ce repas providentiel. Ragaillardie par ses quelques heures de sommeil et le goût sucré des *laddus*, elle se sent prête à tous les sacrifices. Elle n'a pas encore dit à Lalita ce qui les attend, à l'intérieur. Si les plus riches déposent des offrandes de vivres et de fleurs, de bijoux, d'or et de pierres précieuses, les plus pauvres offrent à Lord

Venkateshwara le seul bien qu'ils possèdent : leurs cheveux.

C'est une tradition ancestrale millénaire : faire don de ses cheveux, c'est renoncer à toute forme d'ego, accepter de se présenter à Dieu dans son apparence la plus humble, la plus nue.

Après avoir pénétré dans le temple, Smita et Lalita s'engagent dans les couloirs grillagés, où des milliers de Dalits patientent des jours durant – l'attente est longue, jusqu'à quarante-huit heures, précise un homme assis par terre à l'entrée. Les plus fortunés peuvent acheter un ticket pour passer plus vite. Des familles entières dorment là, pour ne pas perdre leur tour. Après des heures interminables passées dans ces cages de fortune, elles débouchent enfin dans le *kalianakata,* un gigantesque bâtiment de quatre étages où s'activent des centaines de barbiers. Une véritable fourmilière, fonctionnant jour et nuit. Le plus grand salon de coiffure du monde, dit-on ici. Le prix pour être rasé est de quinze roupies, apprend Smita. Décidément, rien n'est gratuit, pense-t-elle.

À perte de vue dans la salle immense, des hommes, des femmes portant leurs bébés dans les bras, des enfants, des vieillards, passent sous les lames des barbiers, en psalmodiant une prière à l'attention de Vishnou. À la vue de ces centaines de têtes rasées à la chaîne, Lalita prend peur. Elle se met à pleurer. Elle ne veut pas donner ses cheveux, elle les aime trop. En guise de défense, elle serre contre elle sa poupée, ce petit bout de chiffon qu'elle n'a pas lâché du voyage. Smita se penche vers elle, et murmure à son oreille doucement :

N'aie pas peur.
Dieu nous accompagne.
Tes cheveux repousseront. Ils seront encore plus beaux qu'avant.
Ne t'inquiète pas. Je passerai devant toi.

La voix douce de sa mère la réconforte un peu. Elle observe des enfants dont le crâne vient d'être tondu ; ils se passent la main sur la tête en riant. Ils n'ont pas l'air de souffrir – au contraire. Ils semblent s'amuser de cette apparence nouvelle. Leur mère, le crâne lisse elle aussi, les enduit d'huile de santal, un liquide jaune censé protéger la peau du soleil et des infections.

Leur tour est venu. Le barbier fait signe à Smita d'avancer. Celle-ci s'exécute, avec dévotion. Elle s'agenouille, ferme les yeux et commence à réciter une prière, tout bas. Ce qu'elle murmure à Vishnou, là, au milieu de cette salle immense, est son secret. C'est un instant qui n'appartient qu'à elle. Elle y a pensé des jours durant ; elle y pense depuis des années.

Le barbier effectue une brève manipulation pour changer de lame – le directeur du temple est très strict à ce sujet, une lame pour chaque pèlerin, telle est la consigne. Dans sa famille, on est barbier de père en fils, depuis des générations. Tous les jours, il effectue les mêmes gestes, les répète tant et tant qu'il en rêve la nuit. Il imagine des océans de cheveux, dans lesquels il se noie, parfois. Il demande à Smita de tresser les siens – cela facilitera la tonte, et le ramassage. Puis il l'asperge d'eau, et démarre le rasage. Lalita jette à sa mère un regard inquiet, mais Smita lui sourit. Vishnou l'accompagne. Il est là, tout près.

Il la bénit.

Tandis que les mèches tombent à ses pieds, Smita ferme les yeux. Ils sont des milliers autour d'elle, dans la même position, à prier pour une vie meilleure, à offrir la seule chose que le monde leur ait donnée, ces cheveux, cette parure, ce cadeau qu'ils ont reçu du ciel et qu'ils lui rendent, ici, les mains jointes, agenouillés sur le sol du *kalianakata*.

Lorsque Smita rouvre les yeux, son crâne est lisse comme un œuf. Elle se redresse, et se sent soudain incroyablement légère. C'est une sensation nouvelle, presque grisante. Un frisson la parcourt. Elle observe à ses pieds son ancienne chevelure, un petit tas noir de jais, tel un reste d'elle-même, un souvenir, déjà. Maintenant son âme et son corps sont purs. Elle se sent apaisée. Bénie. Protégée.

Lalita s'avance à son tour devant le barbier. Elle tremble légèrement. Smita lui prend la main. En changeant sa lame, l'homme jette un coup d'œil admiratif à la tresse de la fillette, qui lui descend jusqu'à la taille. Ses cheveux sont magnifiques, soyeux, épais. Les yeux dans ceux de sa fille, Smita murmure avec elle la prière qu'elles ont tant de fois récitée devant le petit autel, dans la cahute, à Badlapur. Elle pense à leur condition, se dit qu'elles sont pauvres aujourd'hui, mais que peut-être, un jour, Lalita possédera une voiture. Cette pensée la fait sourire et lui donne de la force. La vie de sa fille sera meilleure que la sienne, grâce à cette offrande qu'elles font ici, aujourd'hui.

À la sortie du *kalianakata*, la lumière les éblouit. Sans cheveux, leurs visages se ressemblent plus qu'avant, plus que jamais. Elles paraissent plus jeunes ainsi, plus fluettes. Elles se tiennent par la main, et se sourient. Elles sont arrivées jusque-là. Le miracle s'est accompli. Smita le sait, Vishnou tiendra ses promesses. À Chennai, ses cousins les attendent. Demain, une nouvelle vie commence.

En s'éloignant vers le Sanctuaire d'Or, la main de sa fille dans la sienne, Smita ne se sent pas triste. Non, vraiment, elle n'est pas triste, car d'une chose elle est sûre : de leur offrande, Dieu saura se montrer reconnaissant.

## Giulia

*Palerme, Sicile.*

*« Ils ne savaient pas que c'était impossible, alors ils l'ont fait. »*

Giulia se souvient de cette phrase de Mark Twain, qu'elle avait lue, enfant, et qui lui avait plu. Elle y songe aujourd'hui, en patientant sur le tarmac de l'aéroport Falcone-Borsellino. Elle est émue, en attendant cet avion venu du bout du monde, chargé de la première cargaison de cheveux.

Le *papa* ne s'est pas réveillé. Il est mort ce jour-là, à l'hôpital, alors qu'elle était près de lui, après ce rêve étrange dont elle se souviendra toute sa vie. Au moment de partir, il a serré sa main, comme pour lui dire adieu. Comme pour lui dire : vas-y. Il lui a passé le relais, avant de s'en aller. Giulia le sait. Pendant que les médecins tentaient de le réanimer, elle lui a promis qu'elle sauverait l'atelier. C'est un secret entre elle et lui.

Elle a tenu à organiser la cérémonie religieuse dans la chapelle qu'il aimait. Sa mère a protesté – l'endroit est trop petit, disait-elle, pour que tout le monde soit assis. Pietro avait tant d'amis, il était si populaire, il y avait aussi toute sa famille, venue des quatre coins de Sicile, et puis ses ouvrières... Qu'importe, a dit Giulia, ceux qui l'aiment resteront debout. La mère a fini par céder.

Depuis quelque temps, elle ne reconnaît plus sa fille. Giulia d'ordinaire si sage, si posée, si docile, se montre étonnamment obstinée. Une détermination nouvelle s'est emparée d'elle. Dans son combat pour sauver l'atelier, elle a refusé d'abdiquer. Pour sortir de l'impasse, elle a proposé d'organiser un vote auprès des ouvrières. La chose s'est déjà pratiquée ailleurs, a-t-elle dit, sur d'autres sites menacés. En outre, il est légitime de leur demander leur avis. C'est aussi d'elles qu'il s'agit. Sa mère en a convenu. Ses sœurs ont accepté.

Afin que les plus jeunes ne soient pas influencées par les plus âgées, il a été décidé que le vote se tiendrait à bulletin secret. Les ouvrières ont été invitées à choisir entre une nouvelle orientation de l'atelier, impliquant l'importation de cheveux indiens, ou sa fermeture et un licenciement négocié, une maigre prime leur étant concédée. Bien sûr, la première solution comporte des risques, des aléas certains que Giulia ne leur a pas cachés.

Le vote s'est tenu dans la grande salle de l'atelier. La *mamma* était présente ainsi que Francesca et Adela. C'est Giulia qui a procédé au dépouillement. D'une main tremblante, elle a ouvert chacun des papiers jetés dans le chapeau du *papa* – c'est elle qui en a eu l'idée, comme un ultime hommage rendu à son père. *Ainsi, il est un peu avec nous aujourd'hui,* a-t-elle dit.

Par sept voix contre trois, la majorité a tranché. Giulia se souviendra longtemps de ce moment. Elle a eu du mal à cacher sa joie.

Par l'intermédiaire de Kamal, elle a noué un contact en Inde, avec un homme installé à Chennai. Il a fait des études de commerce à l'université. Il sillonne le pays et ses temples à la recherche de cheveux à acheter. Il est dur en affaires, mais Giulia se révèle très tenace au jeu de la négociation. *Mia cara, on dirait que tu as fait ça toute ta vie !* s'en amuse la *Nonna.*

À vingt ans seulement, elle se retrouve à la tête de l'atelier. Elle est aujourd'hui la plus jeune entrepreneuse du quartier. Elle s'est installée dans le bureau de son père. Au mur elle contemple souvent sa photo, près de celles de ses aïeux. Elle n'a pas encore osé y encadrer la sienne. Cela viendra.

Lorsqu'elle se sent triste, elle monte là-haut, sur le toit, dans le *laboratorio*. Elle s'assoit face à la mer et pense à son père, à ce qu'il aurait dit, à ce qu'il aurait fait. Elle sait qu'elle n'est pas seule. Son *papa* est à ses côtés.

Aujourd'hui, Kamal se tient près de Giulia. Il a tenu à l'accompagner à l'aéroport. Ces derniers temps, ils ont partagé plus que des pauses déjeuners. Il s'est révélé d'un indéfectible soutien pour elle, a accueilli avec bienveillance chacune de ses idées, s'est montré enthousiaste, inventif, entreprenant. Il était son amant, il est devenu son complice et son confident.

L'avion paraît enfin. En voyant ce point dans le ciel qui grossit lentement, Giulia se dit que leur avenir est là, tout entier, dans la soute de cet avion de marchandises au ventre bombé. Elle prend la main de Kamal. Il lui semble à cet instant qu'ils ne sont plus deux êtres indépendants aux trajectoires hasardeuses, errant dans les méandres de l'existence, mais un homme et une femme qui s'amarrent l'un à l'autre. Qu'importe ce que diront la *mamma*, pense Giulia, sa famille et les gens du quartier. Elle se sent femme aujourd'hui, auprès de cet homme qui l'a révélée. Cette main, elle n'est pas près de la lâcher. Dans les années qui suivront, elle la serrera souvent, dans la rue, au parc, à la maternité, en dormant, en jouissant, en pleurant, en mettant au monde leurs enfants. Cette main, elle la tient pour longtemps.

L'avion atterrit, puis s'arrête. Rapidement les conteneurs sont déchargés, acheminés vers le centre de tri où s'activent les manutentionnaires.

Dans l'entrepôt, Giulia signe un reçu indiquant qu'elle prend possession de la marchandise. Le colis est là, devant elle, pas plus gros qu'une valise. Tremblante, elle attrape un cutter pour en éventrer le flanc. Les premiers cheveux apparaissent. Elle saisit une mèche, délicatement : des cheveux longs, très longs, noir de jais. Des cheveux de femme assurément, soyeux et épais. Juste à côté, une autre mèche : un peu moins longue, celle-ci est douce comme de la soie ou du velours – on dirait des cheveux d'enfant. Ils ont été achetés le mois dernier au temple de Tirupati, a précisé son correspondant, le lieu de culte le plus fréquenté au monde, toutes religions confondues, devant La Mecque et le Vatican – ce détail a marqué Giulia. Elle pense alors à ces hommes et ces femmes qu'elle ne connaît pas et ne rencontrera jamais, venus faire don de leurs cheveux. Leur offrande est un cadeau de Dieu, se dit-elle. Elle voudrait les prendre dans ses bras pour les remercier. Ils ne sauront jamais où sont partis leurs cheveux, quel périple incroyable ils auront accompli, quelle odyssée. Leur voyage, pourtant, ne fait que commencer. Un jour quelqu'un, quelque part dans le monde, portera ces mèches que ses ouvrières vont démêler, laver et traiter. Cette personne ne se doutera pas du combat qu'il aura fallu mener. Elle portera ces cheveux, et peut-être seront-ils sa fierté, comme ils sont celle de Giulia, aujourd'hui. À cette pensée, elle sourit.

La main de Kamal dans la sienne, elle se dit que sa place est là, qu'elle l'a enfin trouvée. L'atelier de son père est sauvé. Il peut dormir en paix. Un jour, ses enfants viendront prolonger sa lignée. Elle leur apprendra le métier, les emmènera sur ces routes qu'elle sillonnait jadis avec lui, en Vespa.

Le rêve revient parfois. Giulia n'a plus neuf ans. Il n'y aura plus jamais la Vespa de son père, mais elle sait à présent que l'avenir est fait de promesses.

Et qu'il lui appartient, désormais.

# Sarah

*Montréal, Canada.*

Sarah marche dans les rues enneigées. En ce début du mois de février, les températures sont polaires, mais elle bénit l'hiver : il est son alibi. Grâce à lui, son bonnet se fond dans la foule des badauds, coiffés comme elle pour affronter le froid. Elle croise un groupe d'écoliers se tenant par la main. Parmi eux, une fillette porte le même bonnet ; elle lui jette un regard complice et amusé.

Sarah poursuit son chemin. Dans la poche de son manteau, elle tient la petite carte donnée par cette femme rencontrée à l'hôpital, quelques semaines plus tôt. Elles étaient assises dans la même salle pour recevoir leur traitement, et avaient engagé la conversation, naturellement, telles deux clientes à la terrasse d'un café. Elles étaient restées ainsi à parler tout l'après-midi. La discussion avait rapidement pris un tour intime, comme si la maladie les rapprochait, tissait un fil invisible entre elles. Sarah avait lu de nombreux témoignages sur Internet, sur des forums ou des blogs, qui lui donnaient parfois l'impression de faire partie d'un club, d'un groupe de personnes averties, celles qui savent, qui ont traversé *ça*. Il y avait les anciens combattants, les *Jedis*, qui n'en étaient pas à leur première guerre, et les nouveaux entrés dans la maladie, les *Padawans*. Ceux-là, telle Sarah, avaient tout à apprendre. Ce jour-là, cette femme à l'hôpital – une *Jedi*, sans aucun doute, qui avait dû mener plus d'un combat, même si elle restait pudique sur sa maladie – avait évoqué ce magasin de « chevelures d'appoint » selon l'expression consacrée, au personnel compétent et discret. Elle avait donné à Sarah la carte du salon, à utiliser *le moment venu*. Dans la lutte pour la guérison, il ne fallait pas négliger l'estime de soi, disait-elle. *L'image que vous renvoie le miroir doit être votre alliée, non votre ennemie*, avait-elle conclu d'un air avisé.

Sarah avait rangé la carte, et n'y avait plus pensé. Elle avait tenté de retarder l'échéance, mais la réalité l'avait rattrapée.

Le *moment venu* est arrivé. Sarah marche vers le salon dans les rues enneigées. Elle aurait pu prendre un taxi, mais elle a choisi de marcher. C'est comme un pèlerinage, un trajet qu'elle doit faire à pied, tel un rite de passage. Aller là-bas, cela veut dire beaucoup, cela signifie : accepter, enfin, la maladie. Ne plus la rejeter, ne plus la nier. La regarder en face, telle qu'elle est : pas comme une punition ni une fatalité, une malédiction à laquelle il faudrait se soumettre, mais plutôt comme un fait, un événement de sa vie, une épreuve à affronter.

Tandis qu'elle se rapproche du salon, Sarah est prise d'une curieuse impression. Ce n'est pas un sentiment de déjà-vu, ni une prémonition, non, c'est une sensation plus profonde, diffuse, dans sa pensée et tout son être, comme si ce chemin, étrangement, elle l'avait déjà fait. C'est pourtant la première fois qu'elle s'aventure dans ce quartier. Sans qu'elle puisse l'expliquer, il lui semble que quelque chose l'attend là-bas. Qu'elle y a rendez-vous, depuis longtemps déjà.

Elle pousse la porte du salon. Une femme élégante l'accueille poliment et la conduit dans un couloir jusqu'à une petite pièce meublée d'un fauteuil et d'un miroir. Sarah enlève son manteau, pose son sac. Elle marque un temps avant de retirer son bonnet. La femme l'observe un instant, sans parler.

Je vais vous montrer nos modèles. Avez-vous une idée de ce que vous recherchez ?

Le ton de sa voix n'est ni obséquieux ni compatissant. Il est juste, sans fioriture. Instantanément, Sarah se sent en confiance. La femme sait de quoi elle parle, assurément. Elle a dû rencontrer des dizaines, des centaines de femmes dans son cas. Elle doit en voir toute la journée. Pourtant, à cet instant, Sarah a l'impression d'être unique, du moins d'être traitée comme telle. Ne pas dramatiser, ne pas banaliser, c'est tout un art, que la femme exerce avec délicatesse.

Devant sa question, Sarah est embarrassée. Elle ne sait pas. Elle n'a pas réfléchi. Elle voudrait… quelque chose de vivant, de naturel. Qui lui ressemble, en fait. C'est un peu bête, se dit-elle, comment des cheveux qui lui sont tout à fait étrangers pourraient-ils lui aller, épouser son visage, sa personnalité ?

La femme s'éclipse un moment, et revient avec des cartons en forme de boîtes à chapeaux. De la première, elle sort une perruque auburn – synthétique, précise-t-elle, fabriquée au Japon. Elle la secoue vigoureusement, tête en bas – dans les boîtes, elles prennent parfois de faux plis, il faut leur redonner forme humaine, dit-elle. Sarah l'essaye, peu convaincue. Elle ne se reconnaît pas sous cet amas de cheveux épais, ce n'est pas elle sous cette boule de poils, elle paraît déguisée. Un bon rapport qualité prix, commente la femme, mais ce n'est pas notre meilleur produit. D'une deuxième boîte, elle sort une autre perruque, artificielle à nouveau, mais de haute qualité – classée « Grand Confort ».

Sarah ne sait que dire, elle reste songeuse devant cette image que lui renvoie le miroir, qui n'est définitivement pas la sienne. La perruque n'est pas mal, elle n'a rien à lui reprocher, si ce n'est qu'elle *fait* perruque. Non, impossible, mieux vaut encore un foulard ou un bonnet. La femme attrape alors la troisième boîte. Elle contient un dernier modèle, en cheveux humains, précise-t-elle. Un produit rare et coûteux – mais certaines femmes sont prêtes à la dépense. Sarah contemple la perruque d'un air surpris : les cheveux sont de la même couleur que les siens, ils sont longs, soyeux, infiniment doux et épais. Des cheveux indiens, indique la femme. Ils ont été traités, décolorés et teints en Italie, en Sicile plus exactement, puis fixés, cheveu par cheveu, sur une base en tulle dans un petit atelier. La technique de la tresse a été utilisée, plus longue mais plus solide que l'implantation au crochet. Quatre-vingts heures de travail, pour cent cinquante mille cheveux environ. Un produit rare. *De la belle ouvrage*, comme on dit dans le métier, ajoute la femme avec fierté.

Elle aide Sarah à positionner la perruque – toujours d'avant en arrière, au début cela semble difficile mais on prend vite l'habitude, lui dit-elle, à la longue elle n'aura même plus besoin d'un miroir. Bien sûr elle peut la faire recouper, à son goût, dans un salon de coiffure. L'entretien est simple, du shampooing et de l'eau – comme pour ses propres cheveux. Sarah relève la tête et s'observe dans la glace : une femme nouvelle se tient devant elle, qui lui ressemble, et qui en même temps est une autre. C'est un sentiment étrange. Elle reconnaît pourtant ses traits, sa peau pâle, ses yeux cernés. C'est elle, oui, c'est bien elle. Elle touche les mèches, les arrange, les modèle, les sculpte, dans une tentative qui n'est pas de l'appropriation, plutôt un apprivoisement. Les cheveux n'opposent pas de résistance, ils se laissent dompter, docilement, généreusement. Ils épousent lentement l'ovale de son visage, ils s'abandonnent. Sarah les lisse, les caresse, les coiffe, les trouvant si coopératifs qu'elle leur en est presque reconnaissante. Imperceptiblement, ces cheveux qui lui sont étrangers deviennent les siens, ils s'accordent à sa figure, à sa silhouette, à ses traits.

Sarah contemple son reflet. Ce qu'elle avait perdu, il lui semble alors que cette chevelure le lui rend. Sa force, sa dignité, sa volonté, tout ce qui fait qu'elle est elle, Sarah, forte, fière. Et belle. Soudain, elle se sent prête. Elle se tourne vers la femme, et lui demande de lui raser la tête. Elle veut le faire, là. Maintenant. Elle portera la perruque dès aujourd'hui. Elle n'aura pas honte de retourner chez elle ainsi. Et puis elle parviendra mieux à l'ajuster sans cheveux en dessous, ce sera plus facile. De toute façon, il faudra le faire, tôt ou tard, autant que ce soit là, ici, puisqu'elle en a la force à cet instant.

La femme acquiesce. Munie d'un rasoir, elle s'acquitte de la tâche d'une main douce et experte.

Lorsque Sarah rouvre les yeux, elle marque un temps de surprise. Fraîchement rasée, sa tête a l'air plus petite qu'avant. Elle ressemble à sa fille lorsqu'elle avait un an, avant que ses cheveux ne poussent – un bébé, voilà de quoi elle a l'air. Elle tente d'imaginer la réaction de ses enfants – ils seraient surpris de la voir ainsi. Elle leur montrera, peut-être, un jour. Plus tard.

Ou pas.

Elle place la perruque sur son crâne lisse, selon les gestes montrés, et ajuste ces cheveux qui sont devenus les siens. Devant son image dans la glace, Sarah est prise d'une certitude : elle va vivre. Elle va voir grandir ses enfants. Elle les verra devenir adolescents, adultes, parents. Plus que tout, elle veut savoir quels seront leurs goûts, leurs aptitudes, leurs amours, leurs talents. Les accompagner sur le chemin de la vie, être cette mère bienveillante, tendre et attentionnée qui marche à leurs côtés.

Elle sortira vainqueur de ce combat, exsangue peut-être, mais debout. Qu'importe le nombre de mois, d'années de traitement, qu'importe le temps qu'il faudra, elle consacrera désormais toute son énergie, chaque minute, chaque seconde, à lutter corps et âme contre la maladie.

Elle ne sera plus jamais Sarah Cohen, cette femme puissante et sûre d'elle que beaucoup admiraient. Elle ne sera plus jamais invincible, plus jamais une super-héroïne. Elle sera elle, Sarah, une femme que la vie a malmenée, entamée, mais elle sera là, avec ses cicatrices, ses failles et ses blessures. Elle ne cherchera plus à les cacher. Sa vie d'avant était un mensonge, celle-ci sera la vraie.

Lorsque la maladie lui laissera du répit, elle montera son propre cabinet, avec les quelques clients qui croient encore en elle et voudront bien la suivre. Elle engagera une procédure contre *Johnson & Lockwood*. Elle est une bonne avocate, l'une des meilleures de la ville. Elle rendra publique la discrimination dont elle a fait l'objet, au nom de ces milliers d'hommes et de femmes que le monde du travail a trop vite condamnés, et qui comme elle endurent une double peine. Pour eux, elle se battra. C'est ce qu'elle sait faire de mieux. Tel sera son combat.

Elle apprendra à vivre autrement, elle profitera de ses enfants, posera des jours de congé pour les kermesses, les spectacles de fin d'année. Elle ne ratera plus un seul de leurs anniversaires. Elle les emmènera en vacances, l'été en Floride, l'hiver au ski. Plus personne ne lui prendra ça, ces moments d'eux, qui sont aussi sa vie. Il n'y aura plus de mur, plus jamais de mensonge. Elle ne sera plus jamais une femme coupée en deux.

En attendant, il faut lutter contre la mandarine, avec les armes que la nature a bien voulu lui donner : son courage, sa force, sa détermination, son intelligence aussi. Sa famille, ses enfants, ses amis. Et puis les médecins, les infirmières, les oncologues, les radiologues, les pharmaciens, qui se battent, chaque jour, pour elle, à ses côtés. Il lui semble soudain qu'elle est au début d'une épopée pharaonique, qu'une formidable énergie est déployée autour d'elle. Elle sent un courant chaud la traverser, une effervescence nouvelle, un papillon inédit qui bat tout doucement, dans son ventre.

Dehors, il y a le monde, il y a la vie, et ses enfants. Elle va aller les chercher à l'école aujourd'hui. Elle imagine déjà leur surprise – elle ne l'a jamais fait, ou si peu. Hannah, sans doute, sera émue. Les jumeaux courront vers elle. Ils feront des remarques sur sa coupe, sur ses nouveaux cheveux. Sarah, alors, leur expliquera. Elle leur dira, pour la mandarine, pour son travail, pour la guerre qu'ensemble ils vont devoir mener.

En s'éloignant du salon, Sarah pense à cette femme du bout du monde, en Inde, qui a donné ses cheveux, à ces ouvrières siciliennes qui les ont patiemment démêlés et traités. À celle qui les a assemblés. Elle se dit alors que l'univers travaille de concert à sa guérison. Elle songe à cette phrase du Talmud : « Celui qui sauve une vie sauve le monde entier. » Aujourd'hui, le monde entier la sauve, et Sarah voudrait lui dire merci.

Elle se dit qu'elle est là, oui, bien là aujourd'hui.

Elle est là pour longtemps encore.

À cette pensée, elle sourit.

## ÉPILOGUE

*Mon ouvrage est terminé.*
*La perruque est là, devant moi.*
*Le sentiment qui m'envahit est unique.*
*Nul n'en est le témoin.*
*C'est une joie qui m'appartient,*
*Le plaisir de la tâche accomplie,*
*La fierté du travail bien fait.*
*Tel un enfant devant son dessin, je souris.*

*Je songe à ces cheveux,*
*À l'endroit d'où ils viennent,*
*Au chemin qu'ils ont fait,*
*À celui qu'ils feront encore.*
*Leur route sera longue, je le sais.*
*Ils verront plus du monde*
*Que je n'en verrai jamais,*
*Enfermée dans mon atelier.*
*Qu'importe, leur voyage est aussi le mien.*

*Je dédie mon travail à ces femmes,*
*Liées par leurs cheveux,*

*Comme un grand filet d'âmes.*
*À celles qui aiment, enfantent, espèrent,*
*Tombent et se relèvent, mille fois,*
*Qui ploient mais ne succombent pas.*
*Je connais leurs combats,*
*Je partage leurs larmes et leurs joies.*
*Chacune d'elles est un peu moi.*

*Je ne suis qu'un lien,*
*un trait d'union dérisoire*
*Qui se tient*
*À l'intersection de leurs vies,*
*Un fil ténu qui les relie,*
*Aussi fin qu'un cheveu,*
*Invisible au monde et aux yeux.*

*Demain, je me remettrai à l'ouvrage.*
*D'autres histoires m'attendent.*
*D'autres vies.*
*D'autres pages.*

REMERCIEMENTS

À Juliette Joste, pour son enthousiasme et sa confiance.

À mon mari Oudy, pour son indéfectible soutien.

À ma mère, ma toute première lectrice depuis l'enfance.

À Sarah Kaminsky, qui m'a accompagnée à chaque étape de ce livre.

À Hugo Boris, pour son aide plus que précieuse.

À Françoise de l'Atelier Capilaria à Paris, pour m'avoir ouvert ses portes et expliqué son métier.

À Nicole Gex et Bernard Lehut, pour leurs conseils avisés.

Aux documentalistes de l'Inathèque, qui m'ont aidée dans mes recherches.

Et enfin à mes instituteurs et professeurs de français, qui m'ont donné dès l'enfance le goût de l'écriture.

Le Livre de Poche s'engage pour l'environnement en réduisant l'empreinte carbone de ses livres. Celle de cet exemplaire est de :
250 g éq. $CO_2$
Rendez-vous sur www.livredepoche-durable.fr

Composition réalisée par PCA

---

Achevé d'imprimer en Italie par
Grafica Veneta
en juillet 2020
Dépôt légal 1re publication : juin 2018
Édition 32 – juillet 2020
LIBRAIRIE GÉNÉRALE FRANÇAISE
21, rue du Montparnasse – 75298 Paris Cedex 06

87/1520/0